DIALOGAR COM A
ANSIEDADE

CIP-BRASIL. CATALOGAÇÃO NA PUBLICAÇÃO
SINDICATO NACIONAL DOS EDITORES DE LIVROS, RJ

P727d

Pinto, Ênio Brito
  Dialogar com a ansiedade : uma vereda para o cuidado / Ênio Brito Pinto. - 1. ed. - São Paulo : Summus, 2021.
  224 p. ; 21 cm.

  Inclui bibliografia
  ISBN 978-65-5549-015-2

  1. Ansiedade. 2. Transtornos da ansiedade. 3. Psicoterapia. I. Título.

20-68050
                                                         CDD: 152.46
                                                     CDU: 616.89-008.441

Leandra Felix da Cruz Candido - Bibliotecária - CRB-7/6135

www.summus.com.br

Compre em lugar de fotocopiar.
Cada real que você dá por um livro recompensa seus autores
e os convida a produzir mais sobre o tema;
incentiva seus editores a encomendar, traduzir e publicar
outras obras sobre o assunto;
e paga aos livreiros por estocar e levar até você livros
para a sua informação e o seu entretenimento.
Cada real que você dá pela fotocópia não autorizada de um livro
financia o crime
e ajuda a matar a produção intelectual de seu país.

DIALOGAR COM A
ANSIEDADE

...

Uma vereda para o cuidado

Ênio Brito Pinto

DIALOGAR COM A ANSIEDADE
Uma vereda para o cuidado
Copyright © 2021 by Ênio Brito Pinto
Direitos desta edição reservados por Summus Editorial

Editora executiva: **Soraia Bini Cury**
Assistente editorial: **Michelle Neris**
Capa: **Alberto Mateus**
Projeto gráfico e diagramação: **Crayon Editorial**

Summus Editorial

Departamento editorial
Rua Itapicuru, 613 – 7º andar
05006-000 – São Paulo – SP
Fone: (11) 3872-3322
http://www.summus.com.br
e-mail: summus@summus.com.br

Atendimento ao consumidor
Summus Editorial
Fone: (11) 3865-9890

Vendas por atacado
Fone: (11) 3873-8638
e-mail: vendas@summus.com.br

Impresso no Brasil

Sumário

Introdução 7

1 Os fundamentos de uma proposta
de diálogo com a ansiedade 11

2 A ansiedade 31

3 Paul Tillich como suporte para lidar
com a ansiedade em psicoterapia 57

4 A ansiedade em diálogo com
a liberdade e a obediência 77

5 Criatividade e ansiedade 99

6 A ansiedade, os sofrimentos emocionais
contemporâneos e os sentimentos 109

7 Ansiedade, espera, esperança e pausa 139

8 O manejo das vivências de ansiedade em psicoterapia . 179

Referências 221

Introdução

A **ANSIEDADE É** um tema que me provoca e intriga há muito tempo e talvez seja o assunto sobre o qual mais artigos escrevi. Ela gera questões e dúvidas, pede atenção e compreensão. Mas esse não é o principal motivo para a escrita deste livro.

Ultimamente, o que tem de fato me preocupado é a maneira como a ansiedade é tratada em nossa cultura, especialmente por influência dos manuais de diagnóstico em psicopatologia. No meu modo de ver, comete-se uma injustiça, que cresce dia a dia e acabou por tornar inevitável a produção desta obra, a qual pretende ser um alerta em defesa da ansiedade.

Por todo lugar em que se procure – livros, artigos científicos, vídeos e outras formas de produção científica ou de depoimentos pessoais –, os verbos mais associados à ansiedade são "controlar" e "lutar". E são muitas as dicas, os exercícios, as técnicas para isso. Porém, embora seja útil e importante, o controle não é o principal meio para lidar com a ansiedade, não é o que ela pede aos seres humanos. O que ela nos pede é diálogo.

Necessitamos aprender, ou talvez reaprender, a dialogar com nossa ansiedade; precisamos tirá-la do papel de vilã e colocá-la no seu devido lugar. Isso significa compreendê-la como uma das mais importantes defesas de que dispomos para lidar com o mundo, com o nosso cotidiano.

Já é mais do que hora de compreendermos que a ansiedade é matriz do cuidado, é evolução que possibilitou e possibilita ao ser humano atitudes cuidadosas e corajosas de preservação de si e de seu universo. Toda atitude preventiva humana é fruto da ansiedade. A maioria das nossas ações cuidadosas é alimentada por ela. Nossa sobrevivência depende dela e do medo e da coragem que só despertam graças a ela.

A ansiedade, mais primitiva que o medo, busca tornar-se medo, pois o medo gera ação. Para gerar ação, o medo tem dois caminhos, ou provoca a coragem ou o desespero. A coragem vai possibilitar a avaliação do risco e a ação de enfrentamento ou de fuga desse risco, pois a fuga também pode ser um ato corajoso. É da coragem que vêm as melhores ações cuidadosas e cuidadoras. O desespero tende a provocar atos temerários, de enfrentamento ou de fuga do risco sem avaliá-lo, ocasionando prejuízos existenciais.

É verdade que a vivência da ansiedade não é agradável nem confortável. Trata-se de uma defesa que busca dialogar conosco por meio de sinais de alerta, de forma geral emitidos no signo da dor. A ansiedade é uma defesa inerente ao ser humano, é parte muito pessoal da nossa existência, é preservadora, é saudável, mas, se não obtém a atenção de que necessita, se não gera a corajosa ação cuidadosa, vai se tornando patológica – porque ela é insistente, não desiste de passar sua mensagem nem de tentar mostrar que a vida nos pede mudanças, às vezes dolorosas, para que possamos continuar num bom ritmo no processo de autoatualização e de maior autenticidade. O desconforto que ela provoca nos chama ao cuidado.

Muitas vezes tentamos controlar a ansiedade porque ela quer nos tirar da acomodação e de uma suposta segurança, explicitando nossa provisoriedade e a provisoriedade de nossos valores. Ela é filha da criatividade e da liberdade, outras das características inerentes ao ser humano. Nada desaloja mais as convicções que a junção da criatividade com a liberdade e a ansiedade. Se é assim, e de fato é assim, por que a ansiedade acabou sendo vista em nossa cultura como um problema, como um defeito que precisa ser controlado? Esse é outro dos temas que abordo ao longo desta obra.

Meus principais objetivos ao escrever este livro são ajudar as pessoas a tentar dialogar com a ansiedade e, sobretudo, auxiliar psicoterapeutas e demais profissionais da área a compreender essa defesa como humana e preciosa, o que – espero! – modificará o manejo dela nos processos de atendimento, voltando-os mais para o diálogo e a compreensão que para o controle. Para isso, pretendo falar de temas que me parecem necessários, senão urgentes, os quais abordarei com a esperança de que as ansiedades patológicas com as quais tanto lidamos em psicoterapia possam voltar a ser férteis ansiedades saudáveis, ampliando, assim, a potencialidade humana para o cuidado, signo maior da saúde existencial.

Depois de delimitar os fundamentos de meu ponto de vista, caracterizarei a ansiedade tal qual a compreendo em nosso mundo ocidental. Em capítulos subsequentes, discutirei o diálogo da ansiedade com qualidades humanas. Terminarei o livro discutindo, com base na abordagem gestáltica, aspectos que me parecem importantes no manejo das vivências de ansiedade nos processos psicoterapêuticos.

Finalmente, este livro é um tributo a Rollo May.

1. Os fundamentos de uma proposta de diálogo com a ansiedade

"A fobia da dor é a inimiga do desenvolvimento."

FRITZ PERLS (1977B, P. 79)

VIVEMOS EM UMA cultura na qual mais e mais a ansiedade aparece como fenômeno importante e frequente. Talvez em nenhuma outra época ela tenha estado tão perceptível como neste começo do século 21, o que provoca inúmeras tentativas de compreendê-la e de encontrar meios para lidar com ela de maneira criativa e construtiva. Essa busca da descrição da ansiedade, de sua compreensão e de meios para controlá-la e de mantê-la em níveis aceitáveis passa por todas as ciências que se dedicam ao ser humano – da filosofia à psicologia, da antropologia à sociologia, da religião à medicina. Precisamos conhecer melhor a ansiedade humana.

Este livro tem a pretensão e o propósito de ser um meio de auxiliar o contato e o diálogo com a ansiedade humana tal qual ela aparece em nossos tempos. Pretende seguir uma trilha que foi percorrida por Kierkegaard, Paul Tillich, Kurt Goldstein, Rollo May, Fritz Perls e tantos outros, abrindo diálogos com esses autores e com outros mais atuais, como Bauman, Morin e psicólogos humanistas que se debruçaram sobre o tema. Vou em busca de caminhos novos para dialogar com a ansiedade, primeiramente reconhecendo-a como importante e sensível defesa e, depois, como contribuição mais original, configurando maneiras de dialogar com essa faceta tão pouco explorada de sua vivência. Minha premissa aqui e em todo o livro é a de que, quando se pode dialogar com a ansiedade, ela conduz ao cuidado, ponto essencial para o bem viver.

Seguramente é um diálogo difícil, tão difícil que muitos preferem evitá-lo, tão complicado que nossa cultura atual tem preferido lutar contra a ansiedade em vez de dialogar com ela, o que, para May (1977, p. 185), "favoreceu as tendências do indivíduo de abdicar da sua originalidade, assumir uma 'coloração protetora' e conformar-se, na esperança de ganhar paz de espírito". Busca-se controlá-la, livrar-se dela o mais rapidamente possível, o que em muitos casos é mesmo bom e necessário temporariamente, embora insuficiente. Estamos perdendo de vista que o bom contato com a ansiedade não deve se fundamentar em uma luta contra ela ou em uma fuga dela, mas em uma tentativa de compreendê-la, de entender sua linguagem, sempre simbólica, de aprender com ela para que o processo de autoatualização possa fluir com suficientes sabedoria e liberdade, gerando desenvolvimento e flexibilidade.

De maneira geral, a linguagem da ansiedade se utiliza da dor, ou da possibilidade da dor ou do sofrimento, a fim de sinalizar mudanças necessárias para que o desenvolvimento continue a se dar. Talvez essa seja uma das questões mais difíceis de lidar no terreno da ansiedade, haja vista que todos temos a esperança – ou a ilusão – de que o crescimento se dá apenas por intermédio das boas vivências e das descobertas agradáveis – o que a ansiedade muitas vezes nega. Sua linguagem é a provocação pelo desconforto: ela nos retira de nossa acomodação em prol de ajustamentos novos e mais criativos; ela nos desaloja de conservadorismos anacrônicos, trazendo novos ares de maneira semelhante à respiração que se impõe ao recém-nascido tão logo ele sai do ventre materno. Se o recém-nascido não pode recusar respirar, muitas vezes cada um de nós tem a pretensão de não querer ouvir a ansiedade, o que acaba por trazer dois tipos de consequência, ambos danosos se muito repetidos. O primeiro é um retardamento no processo de desenvolvimento, raiz de neuroses e de sofrimentos que só se atenuarão quando o diálogo com a ansiedade puder ser restabelecido. O segundo é um recrudescimento da ansiedade, que passa do nível que podemos qualificar como normal para outro, patológico, o qual traz profundos prejuízos existenciais para aqueles que o alcançam e para quem está próximo.

Mais adiante diferenciarei mais detalhadamente a ansiedade normal da patológica. Por ora, para esclarecer essa diferenciação, é fundamental que eu comente alguns aspectos básicos da psicopatologia, área da psicologia e da medicina geralmente encarregada de tentar compreender e tratar a ansiedade e toda uma gama de sofrimentos erroneamente chamados de mentais. Essas explicações são necessárias para que o leitor consiga compreender de onde partem e no que se baseiam as reflexões que desenvolvo aqui.

Entendo que há um erro quando se fala em saúde mental ou em adoecimento mental, uma vez que o ser humano é mais do que sua mente; a meu ver, trata-se de sofrimento existencial, o qual afeta quase todas as áreas da vida por meio de restrições à liberdade e à autoatualização. Não há uma mente que sofre, mas um ser humano que está excessivamente limitado em sua situação atual e em seu devir.

Essas limitações têm etiologia complexa, coerente com a complexidade humana. Não há como definir uma causa para um adoecimento existencial, haja vista que ele é cocriação vagarosa, elaborada entre o ambiente, a pessoa que sofre e fatores impossíveis de determinar com precisão, o que acaba por frustrar os muito cartesianos. Essa cocriação é feita ao longo da existência, apoiada em múltiplos fatores pessoais e ambientais, em fronteiras menos permeáveis e mais rígidas do que seria ideal, nos significados originais que cada um tece para suas vivências a cada momento de sua vida. Por isso, quando falo em etiologia não falo exatamente em causa, muito menos em uma única causa do sofrimento existencial patológico, dado que etiologia em termos humanos tem, para mim, o sentido de construção e significação de comportamentos e vivências – algo que se dá ao longo do tempo, ao longo da complexa história de cada pessoa, a cada momento existencial. Os sofrimentos chamados de patológicos, assim como os saudáveis, são fruto de complexas teceduras de sentido que inevitavelmente fazemos a cada situação vivida. Nessa tecelagem entram fios históricos, genéticos, ambientais, temporais, espaciais, corporais, afetivos, conscientes e não conscientes; entram fios derivados de configurações de personalidade, entram fios provindos de mistérios da existência, tudo isso compondo uma trama única que não se repete nem se refaz, embora possa ser ressignificada. Dessa forma, se não há uma causa para um sofrimento existencial, isso não quer dizer que ele não tenha uma história, que não possa ser compreendido como construção histórica, fruto de inúmeros ajustamentos criativos que a pessoa faz ao longo da vida e em seu ambiente para continuar seu processo de desenvolvimento.

Esses ajustamentos criativos podem se atualizar constantemente, caracterizando vivências saudáveis. Podem também se tornar anacrônicos e, nesses casos, é bastante comum que a ansiedade, sobretudo aquela repetida ou exagerada ante o mesmo fenômeno ou ante fenômenos semelhantes, seja a primeira vivência a denunciar esse anacronismo. Em outros termos, podemos dizer que a ansiedade, especialmente a repetida ou exagerada, sempre denuncia que algo – um comportamento, uma vivência, um valor – que foi bom um dia já não é mais adequado e precisa ser modificado ou flexibilizado.

Enquanto um comportamento ou vivência ainda é o melhor ajustamento possível na atual situação existencial do indivíduo, não provoca ansiedade repetida ou exagerada, atendo-se à ansiedade normal ou saudável, se tanto; quando ele precisa dar lugar a novas significações, é geralmente a ansiedade que primeiro anuncia isso, e ela será mais ou menos delicada nesse anúncio a depender de como se pode estabelecer um diálogo com ela. Quando a pessoa está aberta às novas exigências da situação, a ansiedade é delicada ponte para o cuidado; quando a pessoa está por demais presa em um modo de ser que repetidamente não é o adequado para a atual situação, a ansiedade será tão mais sofrida quanto maior for o apego a esse modo de ser conhecido. Um exemplo talvez possa facilitar a compreensão do que estou dizendo.

A adolescência é uma passagem das mais importantes em nossa cultura; é momento de revisão e de atualização de modos de ser, de abertura para novas responsabilidades que virão com a chegada da idade adulta. Imaginemos que um jovem tenha apoiado parte significativa de sua autoestima na aprovação dos pais até que chegue à adolescência. Imaginemos que surja, então, a possibilidade de rever essa dependência da aprovação dos pais, transformando os genitores em referência, não mais controladores ou poderosos julgadores dos quais se depende emocionalmente. Se esse nosso jovem estiver aberto à necessária atualização, provavelmente viverá alguma ansiedade a cada vez que tiver de se responsabilizar por suas escolhas, e essa ansiedade o conduzirá no caminho do cuidado até que ele se apose verdadeiramente da nova habilidade. Porém, se nosso jovem não estiver aberto à necessária atualização, se se apegar ao modo de ser que agora é anacrônico – a excessiva dependência da aprovação dos pais –, é provável que viva uma ansiedade mais forte e sofrida até que se abra para se transformar, pois responsabilizar-se por si é tarefa que cabe a cada pessoa, respeitados os limites de idade e amadurecimento, tarefa que não pode ser delegada, a não ser com sérios prejuízos.

Foi o que aconteceu com João (nome fictício) e o levou a me procurar para uma terapia breve quando tinha 18 anos. Estava chegando o momento do segundo vestibular e ele percebia que era grande a possibilidade de mais uma vez fracassar, dada a ansiedade que vivia só de pensar nas provas. Depois de feita cuidadosa compreensão diagnóstica, evidenciou-se que, mais do que uma ansiedade perante o exame, havia uma imensa ansiedade ante um mundo universitário que prometia ser abertura para novas regras de vida, para mais autonomia e consequente maior responsabilização. Num mundo universitário (e também depois dele), já não bastaria mais ser um menino bom e obediente: fazia-se necessário ser com mais vigor a própria fonte de valorações. À medida que conseguiu fazer essa mudança de referências, João foi vivendo um abrandamento da ansiedade, a qual atingiu um nível saudável quando chegou a época do vestibular. O caminho de João para mudar suas referências foi a ampliação do diálogo com a ansiedade, não apenas seu controle. Ao compreender a linguagem da sua ansiedade, ele foi capaz de vivê-la de maneira mais saudável, e ela constitui um dos fatores que

DIALOGAR COM A ANSIEDADE

possibilitaram ao rapaz fazer com cuidado a prova e entrar na universidade que desejava.

A estratégia desse atendimento, a qual, é óbvio, mira para além da questão do vestibular, é tentar compreender o pedido da ansiedade, o *para que* ela aparece como queixa nesse momento. Acredito que ela surja como convite para o contato com potenciais que já podem ser realizados, ainda que com a vivência de perdas que podem ser dolorosas. João precisava perder o referencial dos pais para criar os próprios, os quais coincidiriam em parte com o dos pais e divergiriam em parte dele. A ansiedade de João denunciava a possibilidade e a responsabilidade de criar a própria moral, o que ele gradativamente foi fazendo enquanto caminhava para uma vivência de maior autonomia, embora com algumas eventuais saudades de quando bastava fazer o que imaginava que seus pais gostariam. A autoatualização tem preço, como bem demonstram algumas nostalgias que temos de aspectos da criança que um dia fomos e dos quais precisamos abdicar para manter o caminho do amadurecimento e da individuação.

Assim como a criança tem de renunciar às seguranças que só o colo da mãe proporciona, uma vez que há o inexorável chamado ao desenvolvimento, em todas as etapas da vida precisamos dar passos em direção às mudanças que nos possibilitam sermos de fato o que somos. A ansiedade é um dos melhores instrumentos dessa jornada rumo ao amadurecimento, pois sem ela teríamos saltos temerários, dados sem a avaliação dos riscos – o que nos distanciaria da necessária coragem de ser e de viver, como nos ensinou Tillich, tema que abordarei mais adiante neste livro.

O desenvolvimento pessoal exige coragem, e a coragem, para existir, exige ansiedade. É a ansiedade que provoca a coragem, e é a coragem a melhor companheira na viagem existencial rumo à individuação, à autenticidade e à congruência, à autoatualização, assim como é o ar que sustenta o voo dos pássaros. A coragem é o ar de nossos voos mais significativos. Como veremos também, a ansiedade é diferente do medo, embora chamemos de medo a maioria de nossas ansiedades. Nesse aspecto, diferenciamo-nos grandemente dos outros animais – diferença que nos engrandece e ao mesmo tempo nos inferniza. Os outros animais estão mais próximos do medo, e nós, por causa da nossa capacidade de simbolização, estamos mais próximos da ansiedade. Em outros termos, quanto mais evoluída uma cultura, mais seus membros se afastam do medo e se aproximam da ansiedade. Diz Cassirer (1994, p. 49) que, "em vez de definir o homem como *animal rationale*, deveríamos defini-lo como *animal symbolicum*". Então, por conhecermos o símbolo, por vivermos o símbolo, por sermos cada um praticamente um símbolo de si, acabamos, de certa forma, por prescindir dos sentidos para entrar em contato com a ansiedade – o que fazemos principalmente com nossas fantasias, em detrimento da sensorialidade. Em suma, porque o ser humano tem a capacidade de vislumbrar o futuro, o que gera uma maior disponibilidade para antever uma ampla gama de riscos dos quais se proteger, seu contato com a ansiedade é mais fundamentado nas fantasias que na sensorialidade. O antílope que pasta nas pradarias africanas não se paralisa porque um leão pode eventualmente aparecer; um ser humano de nossa cultura evita sair à noite porque pode eventualmente ser vítima de violência. O antílope se move sobretudo por instintos e sensorialidade; o humano da civilização ocidental se move principalmente por reflexões, memórias e fantasias. Em outros termos, como somos, entre os animais, os mais capazes de simbolizar, somos também os mais sujeitos a ansiedades. Se aos outros animais aflige a morte quando próxima, a nós ela aflige mesmo quando aparentemente distante, e nos aflige também, às vezes com insuportável sofrimento, a morte de valores que simbolizam, configuram e justificam nossa existência pessoal.

Se a ansiedade é diferente do medo, se ela busca se tornar medo para provocar ação, isso nos coloca diante de um interessante paradoxo: a ansiedade também exige coragem, como bem demonstraram Tillich e Goldstein, entre outros. Para sair do impasse através do medo, isto é, para transformar-se em medo, a ansiedade exige coragem. Depois, é o próprio medo quem desperta a coragem para a ação, pois sem ela a ação pode ser temerária.

Dessa forma, quando, numa terapia, estamos diante de um cliente que sofre com sua ansiedade, não devemos nos esforçar apenas para mitigá-la. Não! Precisamos ir além disso, ainda que a mitigação seja incluída. Ao compreender como a ansiedade é vivida pelo cliente, devemos buscar o sentido ela pode ter para ele nesse momento, buscar compreender que potencial – o qual agora pode ser realizado – pede passagem através da ansiedade. A ansiedade é o abre-alas de enredos existenciais criativos.

Algumas reflexões sobre a psicopatologia

EM PSICOLOGIA, A ANSIEDADE é estudada sobretudo pelo viés da psicopatologia, quando deveria ser estudada preferentemente por meio de teorias de desenvolvimento. Por isso é muito importante que se tenha claro de que psicopatologia se parte no trabalho terapêutico, dado que temos pelo menos duas formas de abordar o tema, cada uma determinando caminhos diferentes para a psicoterapia.

Como nos ensinam Hycner e Jacobs (1997), existe o olhar da psicopatologia do desenvolvimento e o da psicopatologia de conflito e defesa, um e outro não exatamente excludentes. Explicando o modelo de conflito e defesa, os autores (*ibidem*, p. 147) afirmam que nele se compreendem os distúrbios emocionais como basicamente internos e derivados de "conflitos entre impulsos, ou de conflitos entre impulsos e o princípio de realidade do ego, assim como das defesas que surgem contra esses conflitos". Nesse olhar, compreendem-se os seres humanos em sofrimento emocional como desejosos "de reter os impulsos infantis, desistindo deles com relutância para se adaptarem às demandas da realidade" (*ibidem*). Esse é o modelo que encontramos, por exemplo, na maioria das correntes da psicanálise e em parte significativa da psiquiatria biomédica.

No outro modelo de compreensão do sofrimento emocional, o desenvolvimentista, segundo Hycner e Jacobs (*ibidem*), "as desordens surgem quando há um vínculo pobre entre as necessidades de desenvolvimento da pessoa e os recursos e as possibilidades do meio ambiente, resultando em interrupções no desenvolvimento, um processo de desenvolvimento que foi impedido de prosseguir".

A abordagem gestáltica tem sua estratégia clínica fundamentada principalmente – mas não só – no modelo desenvolvimentista, ótica por excelência de uma psicoterapia fenomenológico-humanista. Entendo que o olhar desenvolvimentista não nega a possibilidade de conflitos subjetivos, mas os compreende como derivados de relações com o campo, ou seja, são cocriações – assim como deverão ser cocriações as possíveis soluções para o conflito. O desenvolvimento de cada pessoa é uma construção em um campo, com um campo, e sua estagnação ou

DIALOGAR COM A ANSIEDADE

lentificação também se dá em um campo, de forma que só podemos compreender um indivíduo se levarmos em conta seu mundo cotidiano e sua história relacional. Assim, os sofrimentos emocionais derivam menos de dificuldades com os conflitos subjetivos que com o ritmo de desenvolvimento, ritmo esse que é composição da pessoa em/com seu campo existencial. Perls (1997, p. 11) afirma que

> a Gestalt-terapia agora está se tornando maior de idade [...]. A ênfase global, entretanto, mudou da ideia de terapia para um conceito gestáltico de crescimento (desenvolvimento). Agora considero a neurose não uma doença, mas um de vários sintomas da estagnação do crescimento (desenvolvimento). Outros sintomas dessa estagnação são a necessidade de manipular o mundo e controlar a loucura, distorções de caráter, a redução do potencial humano, a perda da "habilidade de responder" e, o mais importante de tudo, a produção de buracos na personalidade.

Como a abordagem gestáltica fundamenta-se sobretudo na psicopatologia do desenvolvimento, isso dá à ansiedade um papel ainda mais importante nos processos de adoecimento ou sofrimento pelos quais passam os indivíduos. Afinal, o problema é compreendido de maneiras diversas nas duas vertentes da psicopatologia. Na vertente do desenvolvimento, a ansiedade é trampolim; na psicopatologia de conflito e defesa, entrave. Em uma, a ansiedade aponta para a frente; em outra, para trás. Em uma, promove crescimento, ainda que de forma dolorida; em outra, provoca dolorosa retenção. As reflexões que se seguem neste livro estão escoradas na compreensão da ansiedade como trampolim, como denúncia de estagnação e proposta de crescimento, com todas as dores que crescer habitualmente traz.

Deixamos o útero materno porque temos necessidade de crescer, de nos individuar, de ir além do conforto uterino, de ir para o mundo, de nos cocriar no contato com ele, ainda que isso exija eventualmente dolorosas ousadias – as quais, quando bem-sucedidas, se transformam em conquistas prazerosas e compartilhadas.

Assim, nessas noções diversas de psicopatologia, há importantes diferenças quanto à postura e à presença do terapeuta perante o cliente, aos propósitos da própria psicoterapia e ao manejo da ansiedade. Como bem lembra Boainain (2004, p. 12), por ver o homem como "um ser em busca e construção de si mesmo, cuja natureza continuamente se desvela e exprime no realizar de suas possibilidades e na atualização de seu potencial, compreendem os humanistas que só se é pessoa, só se é realmente humano, no autêntico, livre e integrado ato de se desenvolver". Daí decorre a compreensão da natureza humana "como algo fluido: uma tendência para crescer, um movimento de sair de si, um projetar-se, um devir, um incessante tornar-se, um contínuo processo de vir a ser" (*ibidem*), uma fluidez, um eterno gerúndio que necessita de diálogos com a ansiedade, haja vista que essa perene reconstrução de si necessita ser feita sob a égide do cuidado.

Esse olhar fundamentado no desenvolvimento se diferencia também do olhar mais comum em nossa cultura, o da psiquiatria biomédica. Segundo Yano (2015), a psiquiatria biomédica, ao fazer um diagnóstico, se fundamenta em descrições e arrolamentos de sintomas com o fim de alcançar uma padronização e a descoberta de uma causa para a doença em questão. Com base nesse diagnóstico e nos prognósticos dele derivados, prescrevem-se tratamentos psicofarmacológicos e psicoterapêuticos, estes últimos,

DIALOGAR COM A ANSIEDADE

de maneira geral, de base cognitivista. Seus principais instrumentos são a Classificação Internacional de Doenças e Problemas Relacionados à Saúde (CID) e o Manual Diagnóstico e Estatístico de Transtornos Mentais (DSM), que compõem a linguagem básica no campo da saúde mental no mundo ocidental e precisam ser conhecidos, sobretudo porque constituem a base da comunicação em trabalhos multiprofissionais na área. Uma das mais importantes virtudes do DSM é a tentativa de ser o mais descritivo possível, permitindo que cada abordagem em psicologia desenvolva sua compreensão sobre os conceitos patológicos descritos e dialogue com as outras abordagens sobre uma mesma base descritiva em psicopatologia.

A compreensão da vivência da ansiedade de que me utilizarei neste livro vai além da descrição da "patologia" que encontramos nesses manuais, embora não os negue nem desconsidere. O DSM, por exemplo, é um bom roteiro para se observar a ansiedade e nos dá diversas descrições de modos como ela pode se manifestar. O DSM-5 fez algumas mudanças em relação ao DSM-IV, como não mais considerar o transtorno obsessivo-compulsivo (TOC) um transtorno de ansiedade, o mesmo se dando com o transtorno de estresse pós-traumático (TEPT) e com o estresse agudo. Apesar disso, ainda existem 11 transtornos de ansiedade descritos no DSM-5. São eles: 1) transtorno de ansiedade de separação; 2) mutismo seletivo; 3) fobia específica; 4) ansiedade social; 5) transtorno de pânico; 6) agorafobia; 7) transtorno de ansiedade generalizada (TAG); 8) transtorno de ansiedade induzido por substância/medicação; 9) transtorno de ansiedade devido a outra condição médica; 10) outro transtorno de ansiedade especificado; 11) transtorno de ansiedade não especificado. Provavelmente, tais modificações visaram facilitar a escolha do tratamento medicamentoso.

É preciso notar que, ainda que sejam referenciais para orientar os profissionais em suas compreensões diagnósticas, as definições do DSM são boas descrições de comportamentos, mas pouco ou praticamente nada falam da vivência da ansiedade pelas pessoas. Não levam em conta como cada indivíduo, a partir de sua intencionalidade, significa o que está sendo vivido – e que é alvo da atenção da pessoa e do profissional de saúde. Os diversos DSMs falam menos ainda de algo que é precioso para uma psicopatologia fenomenológica: o sentido daquele sofrimento, o para quê da ansiedade vivida naquele momento específico da vida daquela pessoa. Esses manuais nos auxiliam a lidar com os sintomas e com determinados comportamentos, mas pouco nos ajudam a lidar de modo amplo e holístico com as pessoas que sofrem. Ainda no que diz respeito à ansiedade, os manuais se orientam para o controle ou a extirpação dela, nunca para o diálogo. Neles, a ansiedade é compreendida como patologia, não como defesa.

Então, se para a psicopatologia biomédica a ansiedade é mal a ser extirpado ou, na pior das hipóteses, minimizado, no viés fenomenológico ela é defesa e impulsionamento que merece consideração e compreensão. Como vimos, a vivência da ansiedade, mesmo a disfuncional, é muitas vezes uma oportunidade para que a pessoa cresça através do contato mais profundo com questões até então evitadas. A vivência de uma ansiedade mais significativa traz consigo um pedido de mudança em aspectos do existir que não seriam modificados se esse sofrimento fosse simplesmente extirpado ou amenizado de modo temporário. Dessa forma, se o sentido da ansiedade não for atendido, provocará um vazio existencial, ainda que adaptado, ou uma abertura para um novo sintoma – até que a pessoa possa, se ainda tiver tempo,

DIALOGAR COM A ANSIEDADE

prestar atenção nas mudanças existenciais que precisa fazer para se atualizar e buscá-las.

Há um fato notável nas teorizações sobre a psicopatologia e os sofrimentos humanos que preciso comentar aqui. Na área da assim chamada saúde mental, lidamos sobretudo com abstrações, com construtos, de modo que toda categorização nela tem, inevitavelmente, uma base filosófica que não pode ser desconsiderada, dado que compõe a visão de ser humano e, em consequência, a visão do que seria ou não saudável. Aqui não temos, por exemplo, um fígado concretamente inchado para que se fale de hepatite nem um estômago ferido para que se fale de úlcera; temos, em vez disso, sofrimentos vividos ou provocados naqueles com quem se convive, por meio de comportamentos, atitudes, sentimentos, humores, afetos. Vivências com forte conteúdo relacional e social, portanto profundamente marcadas pela cultura, pela época, pelo campo, por mais que também incluam fatores biológicos. Desse modo, e como que enfatizando o caráter existencial dos assim chamados adoecimentos psíquicos, algo que numa cultura pode ser conceituado como doentio em outra pode ser compreendido como místico ou comumente existencial, ensejando diferentes formas de abordagem do fenômeno, com diferentes objetivos e com resultados também diferentes – cada forma possivelmente correta em seu lugar e, se aplicada a outra cultura, potencialmente invasiva e desrespeitosa, com efeitos deletérios.

É preciso refletir também sobre o papel do corpo no sofrimento emocional. A tendência das correntes mais cognitivistas, que tem se tornado preponderante na cultura ocidental, é cada vez mais reduzir o sujeito a seu corpo, favorecendo um reducionismo que encara o sofrimento emocional como disfunção cerebral, praticamente desvinculado, portanto, de questões existenciais, circunstanciais ou históricas. Nesses casos, dá-se pouco (às vezes nenhum) valor à história e às vivências dos pacientes ou a qualquer possível conexão entre o vivido e o sofrimento. Todo sofrimento e todo adoecimento podem ser explicados em termos de conexões neurológicas, de falta ou excesso de determinadas substâncias, de desequilíbrio corporal – fatores controláveis, mensuráveis, manipuláveis, medicáveis, condicionáveis, corrigíveis. A vida se assemelha a um imenso laboratório. Há uma desnaturalização do sofrimento, da dúvida, da angústia, ao lado de uma patologização da realidade e das relações, o que amplia o papel do especialista na definição do que se deve e não se deve viver, do que seria ou não saudável. Assim, as pessoas e suas circunstâncias são desconsideradas e, além disso, gera-se uma moral psicopatológica, como comentarei em outro capítulo.

Na visão que abraço neste livro, a fenomenológica, ao se considerar o ser humano primordialmente corporal, ele não é reduzido a essa esfera, mas reconhecido como um ser complexo, um todo no qual corpo, mente e espiritualidade, imersos em um campo – vale dizer, em um lugar, uma cultura e uma época –, compõem criativa e sempre singular combinação. Segundo esse olhar, o ser humano é capaz, em condições propícias, de dar significado a sua ansiedade a fim de vivê-la como alavanca de mudanças, crescimento, realização de potenciais, autoatualização, novas e mais significativas formas de intersubjetividade, possivelmente até um novo olhar cósmico.

Cada uma das formas teóricas de compreender a ansiedade tem consequências sociais. Aquela que mais vai ao encontro dos desejos da indústria farmacêutica e dos planos de saúde é a reducionista, que explica cada sofrimento em função da química

DIALOGAR COM A ANSIEDADE

cerebral: ela justifica todo uso de medicamentos, e não apenas o uso consciencioso, e corrobora a atitude dos planos de saúde de pagar por terapias mais rápidas, sintomáticas, distantes das terapias menos breves como as propostas em outra chave filosófica. Com isso, entre outros problemas, temos uma ampliação do adoecimento para a infância (um grande mercado para a indústria farmacêutica!) e a prescrição desses medicamentos por todos os médicos em vez de somente pelos psiquiatras, em geral mais bem preparados para o uso consciencioso da medicação. Por uso consciencioso refiro-me ao cuidado para que a prescrição seja o mais personalizada possível a cada paciente e para que o medicamento seja utilizado pelo tempo estritamente necessário, de forma que facilite a retomada do desenvolvimento sem provocar uma dependência alienadora, como comentarei mais adiante.

Para finalizar este embasamento, quero destacar que a abordagem gestáltica traz uma compreensão do ser humano que vou contemplar aqui parcialmente, tocando em seis pontos que se relacionam com nosso tema, uma vez que meu propósito não é exatamente a visão gestáltica, mas algumas implicações que ela traz quando se estudam a ansiedade e o sofrimento humanos.

1   **Relação e contato**. O ser humano de que trata a Gestalt-terapia é, antes de mais nada, um ser corporal em relação. É capaz de contatar-se consigo, conhecendo-se; com o outro, coexistindo; com o mundo, como morada compartilhada. Assim, toda psicopatologia, todo sofrimento e toda ansiedade serão compreendidos como relacionais.

2   **Tempo e campo**. O ser humano é *do* mundo, só existe em um campo vivido temporal e espacialmente, faz parte de uma cultura, sendo muito mais intersubjetividade e cultura-

ÊNIO BRITO PINTO

lidade que subjetividade (Tatossian, 2006). Tem na vivência do tempo uma das bases mais importantes de sua identidade e de sua ação no mundo. Dadas as condições necessárias, desenvolvem-se, ao longo do tempo, desde uma dependência intensa do ambiente até um autossuporte pleno, mas não total. Para a Gestalt-terapia, o ser humano é verbo, e não substantivo; verbo no gerúndio, acontecendo no tempo e no campo. Por isso, a psicopatologia, o sofrimento e a ansiedade não podem ser compreendidos como apenas subjetivos ou meramente individuais:

se encararmos o homem em seu meio tanto como indivíduo quanto como ser social, como parte do campo organismo/ meio, não podemos jogar a culpa desta alienação nem no indivíduo nem no meio. Desde que indivíduo e o meio são meramente elementos de um único todo, o campo, nenhum deles pode ser considerado responsável pelas doenças do outro. Mas ambos estão doentes. (Perls, 1977a, p. 40)

3   **Ajustamento criativo e polaridade.** O ser humano é capaz de lidar criativamente com a vida ao longo de toda sua existência. Necessita de horizontes para dar azo à sua criatividade. Inevitavelmente escolhe e responde por suas escolhas, ainda que possa não ter consciência disso. Trafega, sempre que possível, com ritmo e de acordo com a situação entre as polaridades existenciais, ou seja, é sombra e luz, calor e frio, suave e duro, abertura e fechamento, contato e retraimento, vida e morte – e assim infinitamente. Daqui decorrem três consequências básicas para a compreensão da psicopatologia, do sofrimento e da ansiedade: 1) a concepção do adoecimento

DIALOGAR COM A ANSIEDADE

como um ato criativo, a melhor maneira que a pessoa encontrou para continuar seu desenvolvimento; 2) a compreensão de que o sofrimento psicopatológico tem estreita relação com as escolhas e com a responsabilidade pelo apossamento da própria vida; 3) a ideia de que a saúde é "processo de criação constante do mundo e de si, o que integra também o conceito de doença: saúde e doença não representam opostos, são etapas de um mesmo processo" (Augras, 1981, p. 11).

4 **Autoatualização.** Sempre diferente, e mantendo-se o mesmo, o ser humano atualiza-se no contato com o ambiente em trocas dinâmicas e infindáveis intermediadas por sua autorregulação. A ansiedade, então, pode ser compreendida como um sinal de alerta ante o fato de que a autoatualização pode estar sofrendo interrupção ou uma descontinuidade em dado campo.

5 **Complexidade e mistério.** Inapreensível, do ponto de vista gestáltico o ser humano marca-se pela complexidade e pelo mistério; só pode ser compreendido, jamais explicado. Na visão sobre a ansiedade e a psicopatologia, a proposta é a de buscar um olhar que englobe a enorme complexidade dos fenômenos relacionados com essa área, cuidando para não reduzi-los a uma mera descrição de sintomas, mas prestando especial atenção a como cada sintoma é vivido e significado pelo indivíduo em seu mundo.

6 **Morte.** Esse ser em contínuo processo de desenvolvimento, esse ser simbólico, busca a transcendência e o transcendente, assombra-se ante o mistério do existir, sabe que a vida é movimento de aberturas e fechamentos de *Gestalten*, movimento de vida, morte, vida, morte... No terreno da ansiedade, como veremos adiante, encontramos questões relativas

a esse ritmo de abertura e fechamento de *Gestalten,* além da necessidade de encontrar o sentido das experiências vividas e até o sentido da própria existência.

Isso tudo leva à conclusão de que, para a Gestalt-terapia, a saúde se caracteriza sobretudo pela abertura ao ritmo de formação e fechamento de *Gestalten,* vida-morte-vida (Estés, 1995), que constitui o nosso cotidiano, bem como o contato e a conscientização desse ritmo. Essa abertura, esse contato e essa conscientização nos caracterizam como seres em constante renovação e autocriação, movimentos potencialmente ansiogênicos.

Descritas as bases de meu olhar, é ao terreno da ansiedade que me remeto agora. No próximo capítulo vou conceituá-la e apresentá-la como importante defesa de que dispomos para lidar com a vida e suas vicissitudes. Para tanto, me apoiarei no olhar fenomenológico gestáltico apresentado neste capítulo, sempre em diálogo com os autores que já mencionei.

2. A ansiedade

"Aquele que aprendeu corretamente como ser ansioso
aprendeu a coisa mais importante."

(KIERKEGAARD, *APUD* MAY, 1977, P. 90)

DEPOIS DE FUNDAMENTADO meu olhar no que diz respeito à psico-patologia, é hora de começar a delinear uma descrição e uma com-preensão da ansiedade. Não vou diferenciar aqui a ansiedade da angústia, pois entendo que essa particularidade tem mais perti-nência em um trabalho de filosofia do que em um, como este, que mira a psicoterapia. Acompanho Kurt Goldstein (2000, p. 230), que afirma usar a palavra "ansiedade" em correspondência ao ale-mão *Angst*. Nesse aspecto, May (1988, p. 122) discorre sobre a dificul-dade do idioma inglês, que não tem uma boa tradução para *Angst*, "palavra usada por Freud, Kierkegaard, Goldstein, Binswanger (con-forme suas traduções do alemão)", e dá a entender que, na falta de uma boa palavra, traduz-se o termo por *anxiety*, o que não é exata-mente correto. Isso obriga a que se tome o sentido da palavra *ansie-dade* em sua base ontológica, compreendendo-a "como uma amea-ça ao próprio ser". Aqui também me utilizarei desse caminho, mesmo acreditando que o idioma português tem riqueza suficiente para se aproximar do alemão. Faço isso também para entrar em consonância com o uso do termo "ansiedade" no DSM-5 e nas prin-cipais referências da área e da Gestalt-terapia.

Do que falo quando me refiro à ansiedade? Há dois prismas para responder a essa pergunta, um mais descritivo e outro mais compreensivo. Vou passar pelo descritivo para depois me dedi-car ao compreensivo, de base ontológica.

A ansiedade é uma vivência de sobressalto, ou, como a define o dicionário *Houaiss*, "um estado afetivo penoso, caracterizado pela expectativa de algum perigo que se revela indeterminado e impreciso, e diante do qual o indivíduo se julga indefeso". Trata-se de um estado de certa agitação – podendo chegar a muita agitação – e inquietude e se baseia em algo que poderíamos grosseiramente chamar de medo antecipado. É acompanhada de mudanças neurovegetativas e hormonais ligadas à tensão, como alterações no ritmo cardíaco, no sono e no apetite, aumento da sudorese, agitação psicomotora, sensações de opressão no peito e de falta de ar, além de outros possíveis sinais, vivências que têm diferentes intensidades para diferentes pessoas e, na mesma pessoa, diferentes intensidades a cada situação ansiogênica. A ansiedade pode também derivar de consumo de medicamentos ou outras substâncias, além de ser sintoma de algumas patologias.

É interessante também notar que os sinais corporais da ansiedade são praticamente os mesmos do medo, embora se trate de duas vivências diferentes, ainda que comumente interconectadas. Como já vimos, o DSM-5 traz uma lista de transtornos de ansiedade e, além disso, a descreve como fator importante em vários sofrimentos emocionais e patologias que, se não são transtornos de ansiedade, têm nela fator relevante. Destacam-se, nesses casos, os transtornos de humor, nos quais a presença de ansiedade, geralmente a patológica, é facilmente notada e praticamente obrigatória – em minha experiência clínica nunca vi, por exemplo, uma depressão que não tivesse associada a ansiedade patológica.

Não vou me dedicar aqui a diferenciar quando a ansiedade é um transtorno e quando ela é parte de um transtorno, ou seja, quando ela é o principal fenômeno de um sofrimento e quando é secundária, embora importante. Entendo que o DSM-5 faz

DIALOGAR COM A ANSIEDADE

bem essa diferenciação e sugiro sua leitura. Tomo tal decisão não porque essa diferenciação não seja importante, mas porque pretendo me dedicar a compreender a ansiedade como vivência com sentido, uma compreensão mais útil e produtiva para os psicoterapeutas. Essa compreensão à qual me dedicarei mais detalhadamente a partir de agora abarca a ansiedade em suas duas formas de se fazer presente, seja como transtorno, seja como sintoma de transtorno, segundo o DSM.

Em qualquer das duas possibilidades, a compreensão teórica da ansiedade varia muito, dependendo da visão de ser humano de cada autor ou da abordagem em psicologia, com sua consequente visão de saúde e adoecimento. É por isso que comecei este livro com um capítulo no qual me posiciono diante desses temas e da ansiedade, pois ali estão os fundamentos mais significativos para o olhar que desenvolvo aqui.

Minha compreensão da ansiedade nesta obra tem como um dos pontos básicos o fato de que ela é inerente ao ser humano, ou seja, é uma defesa que trazemos em nós e com a qual desde muito cedo temos contato. Não há ser humano sem ansiedade. A vivência dela é que varia segundo cada pessoa e cada situação, o que nos possibilita falar em ansiedade saudável ("ansiedade normal" para May e "existencial" para Tillich, também chamada de funcional em Gestalt-terapia e em psiquiatria biomédica) e em ansiedade patológica ("neurótica" para May, "patológica" para Tillich ou disfuncional), dependendo de como ela é vivida. Para May (1977, p. 185), "a ansiedade neurótica é simplesmente o resultado a longo prazo da ansiedade normal não enfrentada", o que é um ótimo ponto para se refletir.

A ansiedade é uma das forças naturais de que o ser humano é dotado para lidar com a realidade e com os sofrimentos e desafios do cotidiano. Ela provoca uma prontidão psicossomática para lidar com o fato supostamente ameaçador; gera uma competência protetora da integridade do ser que, quando bem dosada, é eficiente e fundamental suporte para o cuidado pessoal, o crescimento existencial, a necessária autoatualização e a lida com o mundo cotidiano presente, lugar onde a vida de fato acontece. A ansiedade defende o ser e seus valores mais caros. No psicopatologizado mundo atual, em vez de ser compreendida como defesa – como o que de fato é –, a ansiedade, saudável ou patológica, é cada vez mais vista como defeito, problema, sintoma a ser eliminado. Isso me preocupa, pois corremos o risco de propor guerra àquela que é a habilidade humana mãe de todos os cuidados. Muitas vezes é como se mandássemos matar o mensageiro porque a notícia que traz não é agradável. Isso me parece tão importante que dedicarei um capítulo deste livro ao tema.

Se a ansiedade pode ser vivida tanto de forma saudável como de forma patológica, que critérios temos para diferenciá-las? Em primeiro lugar, o fator mais importante para que a ansiedade seja vivida como saudável ou não é a qualidade do contato que a pessoa tem consigo, com o ambiente e com o fenômeno potencialmente gerador de ansiedade. O diálogo com a ansiedade a cada nova situação vivida se dá a partir do autossuporte e do suporte ambiental, uma vez que ninguém vive sozinho ou independente do outro e do campo. Dessa forma, se a pessoa confia em seu autossuporte *e* no suporte ambiental do momento, pode correr o risco e crescer, e aí temos a ansiedade existencial – o indivíduo confia em que tem recursos suficientes para começar algo novo e em que, uma vez iniciado o processo, saberá desenvolver, em compasso com o campo, novos recursos necessários para dar cabo da tarefa a que se propõe. No autossuporte, dois fatores se

DIALOGAR COM A ANSIEDADE

destacam: a confiança em si e nas possibilidades de futuro e a história dos diálogos com a ansiedade ao longo da vida. No suporte ambiental também encontramos principalmente dois fatores – um, histórico, diz respeito à forma como, sobretudo na mais tenra idade, o mundo foi apresentado para a pessoa pela família e pela sociedade; outro, a como o campo favorece a lida com a ansiedade no momento presente.

Darei como exemplo uma situação que vivo com relativa frequência e provoca ansiedade: uma palestra para um público pouco conhecido. Desde a preparação do tema, o cuidado com o bom embasamento das ideias que serão apresentadas e com a coerência interna do texto, bem como com sua clareza, são providências que tomo com um nível bem aceitável de ansiedade. Esta vai se ampliando à medida que se aproxima o momento de começar a atividade, até que entro no que Perls, Hefferline e Goodman (1997, p. 45) chamam de "excitação do crescimento criativo". Diferentemente de Perls, Hefferline e Goodman, compreendo o fenômeno como um estado de ansiedade razoável, que chamamos de existencial ou normal, que só não se encaminha para uma ansiedade paralisante porque confio suficientemente nos meus conhecimentos e na minha capacidade de lidar com o novo e de dar conta de eventuais problemas que porventura apareçam. Antes de começar a palestra procuro sempre conhecer o lugar e verificar os recursos audiovisuais de que disporei, fazendo um primeiro contato com o ambiente em busca de seus suportes. Começo a palestra em um estado de ansiedade relativamente alto, não raro com medo também. À medida que o trabalho se desenrola, minha ansiedade tende a baixar. Para que finalmente eu fique à vontade, preciso, além de autoconfiança, das reações do público, sinais de que estou sendo compreendido, o suporte ambiental. Durante toda a palestra minha ansiedade oscila, mas não acaba, pois o diálogo com ela é um dos meus autossuportes para levar a atividade até o fim em bom ritmo e oferecendo novos conhecimentos à plateia.

Observe-se que nesse exemplo eu tratei do suporte ambiental imediato, muito próximo do momento em que a ansiedade é vivida. Mas há outro tipo de suporte ambiental, talvez até mais importante: aquele suporte dado pela família e pelo ambiente desde muito cedo, básico para que a pessoa desenvolva o autossuporte. Esse tipo de suporte ambiental é bastante complexo, com muitas variáveis a ser observadas – da forma como a mãe acolhe o bebê à maneira como a família confirma, ou não, as escolhas da criança e do adolescente. Em virtude dessa complexidade, o tema mereceria, por si só, um livro, o que não seria possível agora. No entanto, neste momento, devemos ter em vista algumas premissas acerca de como o suporte ambiental nos primeiros anos de vida pode favorecer, ou não, a vivência predominante de ansiedades saudáveis.

É do espaço doméstico e íntimo, sobretudo no primeiro ano de vida – época da relação primal, conforme Neumann –, que a criança recebe com maior poder de formação as noções a partir das quais constrói e expressa sua autoconfiança no correr da vida. A relação materna é crucial no começo, ou, como diz Neumann (1995, p. 19) ao se referir ao contato com a mãe, é importante lembrar que é "o maternal em termos genéricos que se constitui no fundamento indispensável da vida da criança". Para o autor, a maternagem se dá pela contenção, pela alimentação, pela proteção e pelo aquecimento afetivo da criança. Ele completa: "O comportamento [da mãe na relação com a criança no primeiro ano de vida] dirigido inconscientemente é vitalmente necessário para o desenvolvimento normal do filho".

DIALOGAR COM A ANSIEDADE

Ao longo da infância e da adolescência, a educação familiar, informal, amorosa (ou não) possibilita a incorporação de valores, símbolos, conceitos, preconceitos e ideologias, incorporação esta que é reforçada pelos órgãos culturais encarregados de complementar a família na tarefa educacional – como é o caso da escola e das religiões, entre outros. No início da vida, o papel da família é apresentar o mundo ao filho, mas quem vai constituir-se – e constituir o seu mundo – é a criança, que já tem, como instrumentos para tanto, disposição corporal, disposição psíquica, constelação hereditária e individualidade presentes em sua unidade organísmica.

Há, no meu modo de ver, dois fatores, entre muitos outros, que, como suportes ambientais, são imprescindíveis para facilitar o desenvolvimento de um autossuporte que amplie as habilidades necessárias para dialogar com as ansiedades vividas em todas as etapas da vida. O primeiro deles e mais importante é o amor explicitado, ou seja, aquele que não deixa nos filhos a dúvida sobre a existência relativamente incondicional desse sentimento, o que favorecerá na criança o desenvolvimento da confiança de que a própria existência tem sentido. A boa educação é erótica, favorece uma relação erotizada com o mundo e com as pessoas. A erotização da vida é que dá a ela um sentido. Erotização no aspecto mais amplo da palavra, aquele que vem da busca do amor e do prazer, permitindo e favorecendo o gosto de saborear, daí a possibilidade da sabedoria. O verdadeiro desejo de saber é erótico.

O segundo fator tem relação com a curiosidade, outra virtude humana que não é bem compreendida por nossa cultura. Como já vimos, é tarefa básica de pais e mães apresentar o filho à realidade e a realidade ao filho desde que ele nasce. Também desde os primórdios de sua vida, a criança explora esse mundo que lhe é apresentado, buscando uma forma própria de lidar com ele e de interferir nele de maneira pessoal e única. Isso é tarefa para toda a vida, tarefa que se inicia já mesmo no útero materno e tem como base para ser saudável uma atitude curiosa acerca do que se encontra pelo caminho. O processo educacional tradicional tende a inibir a curiosidade infantil desde o início e ao longo de toda a vida dos indivíduos, pois somos uma sociedade que se baseia fortemente na ordem, no controle, na previsibilidade – atitudes contrárias a um olhar curioso para o mundo, dado que este é carregado de excitação e de desejo de aprender, suporta (e necessita) lidar com incertezas, dialoga melhor com a ansiedade.

Esse olhar curioso para o mundo, quando bem acolhido e incentivado, abre as portas para a ampliação da autonomia – capacidade que a pessoa tem de se guiar principalmente pelas próprias regras, ainda que com o cuidado de dar atenção ao ambiente e a seus limites. Desse modo, quando os pais educam os filhos para a autonomia, estão atentos ao seu olhar curioso sobre o mundo e o incentivam ao máximo. A educação para a autonomia compõe um suporte ambiental que facilitará os diálogos com as ansiedades existenciais desde muito cedo, respeitados os limites de autonomia para cada idade. Para essa educação, exige-se dos pais plasticidade, que sejam permeáveis a mudanças, capazes de experimentar novidades e de mudar comportamentos e valores assim que descobrem que estes já não respondem mais às necessidades atuais. Em resumo, pessoas capazes de bons diálogos com a ansiedade, o que é um pouco raro, infelizmente. O mais comum é que, ao menor sinal de curiosidade da criança, já lhe sejam dadas respostas, já lhe sejam dadas definições da realidade, impedindo a exploração; ou então que lhe sejam estipuladas rigorosas regras (com claras exigências de serem obedecidas), além de inúmeros "deverias" e "não deverias" (você deveria ser ou fazer assim, você não deveria ser ou fazer assim), os quais podem se tornar introjeções cristalizadas e, dessa forma, dificultar o processo de autoatualização. Inibem-se, assim, as possibilidades de perguntar e de desobedecer, tão básicas para que conheçamos o mundo e nele dialoguemos com nossas ansiedades.

Não quero com isso fazer crer que a boa relação prescinda de regras. Não é isso. Toda convivência humana precisa de regras que lhe sirvam de parâmetro e de limite, e a relação entre pais e filhos não é diferente, antes pelo contrário. O que quero dizer é que a relação familiar boa e encorajadora não conhece regras imutáveis, é permeável a mudanças em sua estrutura dependendo de cada circunstância, convive de maneira saudável com as ansiedades. Em outros termos: a boa relação familiar é aquela essencialmente dialógica, ou seja, é feita entre as pessoas. Quando estou numa relação dialógica, eu dialogo com o outro, ouço suas necessidades e ponderações, ouço minhas necessidades e ponderações e, junto com ele, respeitando os limites de cada um, estabeleço atitudes, deveres e responsabilidades compatíveis com as possibilidades, o que favorece para a criança ou o jovem a autoestima necessária para os diálogos com a ansiedade ao longo da existência e para a consequente autonomia. A atitude que cria as melhores possibilidades de suporte ambiental para que a criança aprenda a dialogar bem com a ansiedade é a mesma que favorece a abertura às tão necessárias possibilidades de desobediências derivadas da condução autônoma de si. A relação entre ansiedade, autonomia e (des)obediência será tema do Capítulo 4.

Saudável ou não, a ansiedade surge quando há a vivência de uma sensação de ameaça ao ser ou a algum valor associado a ele.

Outra fonte relevante de ansiedade é a fantasia de não ter habilidade ou recursos para manejar determinada situação (Goldstein, 2000), o que, no fim das contas, também leva à ameaça ao ser, já citada, pois, se eu não conseguir lidar com determinada e importante tarefa, não serei mais a pessoa que julgava ser. A ansiedade sempre deriva de expectativas pessimistas, as quais, por sua vez, são um salto para o futuro, razão pela qual a ansiedade se fundamenta em e gera uma espécie de não contato, embora vivida como contato, na medida em que está sempre baseada em uma antecipação. Uma das melhores formas de diferenciar a ansiedade saudável da neurótica diz respeito à maneira como esse salto é dado.

O contato e a ansiedade

UMA DAS CARACTERÍSTICAS MAIS interessantes e paradoxais da ansiedade é o fato de que ela é fruto de um contato com o futuro, ou, melhor dizendo, do contato com uma fantasia referente ao futuro, fantasia esta que muitas vezes é vivida como se realidade fosse. Mas isso não a torna menos importante, pois contato com a fantasia também é contato. Quero discutir brevemente o conceito de contato para a abordagem gestáltica, pois entendo que essa discussão favorecerá a compreensão da ansiedade como basicamente fundamentada no contato com a fantasia.

Embora aparentemente simples e trivial em nosso cotidiano, o conceito de contato adquire especial complexidade e significado sob o olhar gestáltico, sobretudo em função dos estudos sobre percepção desenvolvidos pela psicologia da Gestalt, uma das raízes da Gestalt-terapia. Se no dia a dia de nossa língua o contato está ligado à possibilidade de comunicação, de toque, de contiguidade e de conexão, para a abordagem gestáltica seu significado inclui esses elementos e vai além deles.

Como questão mais básica, ao pensarmos na existência humana, podemos entender que o contato é inerente à vida; em outros termos, só há vida quando há contato, só há contato quando há vida. Entendo, ao contrário de outros Gestalt--terapeutas, que esse contato se dá em dois níveis, um consciente e outro inconsciente, e que ambos podem ser simultâneos – enquanto escrevo este texto, tenho consciência do computador à minha frente, mas não tenho consciência de minha respiração, de meus batimentos cardíacos, da intensa luta pela vida que se trava em meu organismo em constante autorregulação e troca com o ambiente – embora tenha com esses eventos um contato, ainda que eles neste instante não se tornem figura para minha percepção. Aquilo com que tenho contato sem me dar conta, que chamo aqui de contato inconsciente, são estímulos que não deixam o fundo mas interferem no ritmo de formação figural – como se nota, por exemplo, a diferença de disposição e de humor durante o dia quando temos uma boa noite de sono. Consciente é aquilo de que me dou conta neste momento, ao passo que inconsciente é o de que não me dou conta agora, incluída aí a maior parte da minha sabedoria. O contato consciente depende do ritmo de formação figural, "é a formação de uma figura de interesse contra um fundo ou contexto do campo organismo/ambiente" (Perls, Hefferline e Goodman, 1997, p. 45); o contato inconsciente é uma das bases para essa formação figural, é parte do fundo do qual se destaca a figura.

No que diz respeito ao contato consciente, ele segue uma regra que nos foi ensinada pela psicologia da Gestalt, a qual diz que a percepção consciente é seletiva e limitada, isto é, só contatamos conscientemente um fenômeno por vez, ainda que possamos transferir nossa consciência de um fenômeno para outro em fração de segundos – muitos acidentes automobilísticos são provocados por pessoas que desconsideram esse limite humano e imaginam que podem ter contato com o celular e com o trânsito ao mesmo tempo. Em outros termos, contatamos apenas uma figura por vez. Ainda com relação ao contato consciente, aquilo que é difuso, que se mantém praticamente sem alterações, deixa de ser percebido – por exemplo, pouco depois de colocarmos os óculos ou a roupa já não nos damos conta deles, pois se trata de um contato repetitivo, que rapidamente se torna não consciente. É importante frisar que o contato inconsciente pode se tornar consciente, a depender das necessidades e das circunstâncias.

Há, basicamente, três tipos de contato que podem vir à consciência (Stevens, 1988), e esse é um ponto importante no estudo da ansiedade. Podemos ter contato com nosso corpo, com o ambiente e com nossas fantasias, os dois primeiros por meio de nossos órgãos de percepção (pele, nariz, boca, olhos, ouvidos etc.), o terceiro por intermédio da imaginação. O contato com nosso corpo se dá através da propriocepção – sensibilidade que fornece sensações que nos orientam a respeito de nosso equilíbrio, de nossos movimentos viscerais e musculares – em suma, o que acontece em nosso corpo a cada momento. O contato com o ambiente nos dá notícia de nossa relação, a cada momento, com o exterior, pessoas e coisas. O contato com nossas fantasias se dá no terreno do imaginário, aqui concebido em sua forma mais ampla: tudo que não está presente no aqui e agora no corpo ou no ambiente é fantasia. Assim, o almoço que tive ontem agora é fantasia, é lembrança; igualmente é fantasia, para a abordagem gestáltica, o amanhã (que ainda não existe) e todas as nossas abstrações. O que pode ser chamado de contato transpessoal (efetuado com o sagrado, com o mistério, com aquilo que está no campo da religiosidade) também se dá no terreno da fantasia, haja vista que não é concreto. É especialmente no contato com as fantasias que nossas ansiedades fazem morada, ainda que possam se apoiar também na percepção corporal e no encontro com o ambiente. Apoiada na fantasia, a ansiedade sempre se sustenta na *possibilidade* de não ser, na *possibilidade* de não contato. Essas possibilidades existem porque somos seres destinados à morte; porque nenhuma das nossas habilidades tem a garantia de constância; porque nosso ambiente sempre pode ser transtornado por fenômenos naturais ou culturais; porque nos modificamos inevitavelmente ao passar pelo tempo, o que nos ameaça com delicadas impermanências, nossas e das pessoas a quem nos ligamos afetivamente; porque não temos certezas com relação ao nosso futuro etc.

Quando contatamos com consciência, percebemos uma figura de interesse destacada de um fundo ou ambiente que a configura. Para Polster e Polster (2001, p. 115-6), é na fronteira de contato que a pessoa "experiencia o 'eu' em relação ao que é não 'eu' e, por esse contato, ambos são experienciados mais claramente. [...] O contato envolve inerentemente o risco da perda de identidade ou da separação. Nisso residem a aventura e a arte do contato". E nisso reside a possibilidade da ansiedade.

Esse é um dos pontos mais relevantes para diferenciar ansiedade de medo, duas vivências parecidas, muito próximas uma da outra, mas diferentes, a primeira mais baseada na fantasia, o segundo no aqui e agora, na relação com o ambiente e com o próprio corpo. Como exprimimos muitas coisas e vivências com terminologia que não é exata, inúmeras vezes dizemos ter medo quando, de fato, estamos vivendo uma ansiedade. Nossa linguagem tem muito mais espaço para o medo do que para a ansiedade, de modo que é muito comum dizermos que temos medo quando, de fato, vivemos ansiedade. Assim, por exemplo, quando dizemos que temos medo de voar de avião, na verdade estamos ansiosos diante dos riscos do voo que faremos futuramente. Por vezes é mesmo difícil diferenciar se estamos vivendo uma situação de ansiedade ou de medo. Sob o olhar gestáltico, o medo aparece quando há contato com um objeto que pode ser removido ou do qual se pode fugir; nesse caso, temos consciência do objeto presente e concreto e de nós mesmos e, por isso, podemos escolher como nos comportar. A ansiedade não tem exatamente um objeto; caracteriza-se mais por um vazio ou por uma ameaça vaga à existência, um contato empobrecido em que não percebemos (ou não temos como perceber, como no caso da ansiedade do além-morte) nuanças importantes de nós mesmos ou do ambiente. Como bem afirma Tillich (1967, p. 27), "medo e ansiedade são distintos, mas não separados. São imanentes um dentro do outro: o acicate [o que incita] do medo é a ansiedade, e a ansiedade se esforça na direção do medo". Na ansiedade, como já vimos, lidamos com a possibilidade da não existência do todo ou de valores vividos como essenciais à sobrevivência do todo. Segundo Goldstein (2000, p. 231), "devemos enfatizar que tanto Kierkegaard quanto Heidegger consideravam o medo como medo de algo, ao passo que a ansiedade, na visão deles, lida com a 'não existência'; suas descrições indicam que a ansiedade é um estado sem referência a um objeto".

Há alguns critérios para diferenciar ansiedade de medo, diferença que é mais qualitativa que quantitativa: a ansiedade está sempre voltada para o futuro, ao passo que o medo é vivido no presente. A ansiedade nos leva ao medo, e este à ação, como bem discutem Tillich (1967) e Goldstein (2000), especialmente o segundo, que inspira o teor deste parágrafo. O medo é provocado por e dirigido para conteúdos bem definidos do ambiente, os quais podem (e devem) ser percebidos e removidos. Assim, no caso do medo, temos consciência do objeto presente e de nós mesmos e, por isso, podemos escolher como nos comportar; o medo é uma emoção ativa que nos impulsiona à ação, ao passo que a ansiedade tende a gerar paralisação, impasse; a ansiedade é mais primitiva que o medo, por isso uma de suas soluções é alcançar o medo e provocar ação; a vivência da ansiedade não se torna menos intensa com tranquilizações racionais, diferentemente do medo; na ansiedade, a pessoa sente não ser capaz de lidar com a situação, enquanto no medo há mais esperança na lida com o perigo; a defesa mais comum ante a ansiedade é a evitação de situações que imaginamos poder provocá-la, algo como um temor que não se esgota nem se transforma em luta ou fuga, mas em evitações comumente vividas como sem sentido, embora irresistíveis. Nesses casos não há exatamente uma fuga, mas um impasse: a pessoa evita o contato com o que pode provocar a vivência da ansiedade e ao mesmo tempo deseja tal contato como meio para transformar a ansiedade em medo e, aí sim, reagir efetivamente no mundo. A evitação de que falo aqui é a evitação do risco, sobretudo do risco de mudar, de descobrir novos *selves*, como se o novo viesse para substituir o velho, e não para compor com ele.

Podemos dizer que a ansiedade trafega no terreno do símbolo, enquanto o medo transita no caminho do concreto. Ao associarmos a ansiedade a algo concreto, diminuímos a possibilidade de compreender sua mensagem, seu pedido de transformação.

Esse é, para mim, um dos pontos mais interessantes desse olhar fenomenológico, e talvez um dos de mais difícil compreensão, quer seja pelos colegas da área da saúde, quer seja pelos leigos. De fato, como já vimos, em nosso modo de falar cotidiano aprendemos desde muito cedo a não diferenciar a ansiedade do medo, e aprendemos também a nos referir como medo a toda vivência de ansiedade. Assim é que dizemos "tenho medo de adoecer", quando, na verdade, a possibilidade de um adoecimento mobiliza nossa ansiedade, pois é uma ameaça vaga. Penso mesmo que na maioria das vezes em que dizemos "tenho medo" estamos vivendo uma ansiedade.

Lembro-me de que, há algum tempo, conversava com uma colega sobre essa diferença entre ansiedade e medo, e ela, para exemplificar, deu como exemplo a possibilidade de que um leão entrasse na sala onde estávamos. Disse ela: "Nossa adrenalina dispararia, os batimentos cardíacos acelerariam, haveria uma série de respostas corporais que caracterizam a possibilidade da luta ou da fuga. Isso é ansiedade". Eu rebati: "Não, isso é medo! O leão é algo que posso remover ou de que posso me distanciar ativamente (atacar, nem pensar!). O leão é concreto, é real e está ali agora na frente da gente". A resposta corporal é semelhante, mas a possibilidade vivencial, o sentido do vivido, são muito distintos. É muito diferente o manejo do medo do manejo da ansiedade em psicoterapia e em todo ato de assistência à saúde, e até mesmo no cotidiano, pois quando em contato com o medo a pessoa está pronta para a ação protetora, ao passo que quando ainda na ansiedade ela está presa a evitações ou impasses. Em terapia, ao lidar com o medo oferecemos esclarecimento, apoio e encorajamento, ao passo que na lida com a ansiedade buscamos compreensão e meios para transformar a ansiedade em medo, ajudando o paciente a lutar ou fugir. O medo é um sentimento ativo, e sob o comando dele a evitação se transforma em ação cuidadosa.

Lembro-me de uma cliente que teve uma crise de ansiedade tão logo sentou-se na poltrona do avião no qual faria uma viagem relativamente curta – viagem que não queria realizar, mas o fazia por imposição de "deverias" (regras introjetadas e cristalizadas), como era habitual nela. Aos poucos, conseguiu conter a ansiedade com técnicas que conhecia, sobretudo por meio da respiração e da presentificação, e venceu a crise. Chegando em casa, atribuiu a ansiedade a algo concreto, o avião, e aí já começou uma nova ansiedade, um temor de passar mal na próxima viagem aérea, que faria em poucos dias. Ela chamou essa vivência de medo de avião, como o faria a maioria das pessoas. Quando, em terapia, percebeu que não se tratava exatamente de um medo, mas de ansiedade, devagar foi se abrindo para dialogar com a sensação em vez de se deixar tomar por ela. Revivendo a situação, notou que ao chegar ao aeroporto estava mais ansiosa que o normal, sentindo certa culpa por viajar de volta para São Paulo quando desejava e podia adiar a viagem, o que não fizera para atender às expectativas que imaginava que certas pessoas teriam sobre ela. Então compreendeu que aquela ansiedade, em nada relacionada de fato com a viagem de avião, mas à lida com as relações interpessoais, lhe pedia a ousadia de quebrar aquele tipo de "deveria" – ajustamento anacrônico por meio do qual ela priorizava excessivamente as outras pessoas, muitas vezes em detrimento de si. Com isso, ela honesta e corajosamente se propôs a tentar um novo e melhor equilíbrio entre atender-se e atender os outros, ritmo que imediatamente começou a adotar e a conhecer, enfrentando a cada situação o medo de ser rejeitada – ou seja, transformando em medo o que era ansiedade e dizendo novos "nãos". Não sem se surpreender e se encantar, ela embarcou para a próxima viagem com a ansiedade normal de quem voa numa aeronave.

O diálogo com a ansiedade: alguns aspectos

ALÉM DESSA DIFERENCIAÇÃO ENTRE ansiedade e medo, precisamos, para colocar a ansiedade em seu devido lugar e deixar de entendê-la apenas como patologia, dialogar com ela e compreendê-la a cada vez que se manifesta. Para tanto, devemos lembrar que ela sempre deriva de – ou está fortemente associada a – expectativas pessimistas, ou seja, aos pensamentos que preveem ameaças ou riscos no futuro e buscam mobilizar a energia para lidar com essas supostas ameaças. A presença de fantasias pessimistas é típica da ansiedade: há sempre um futuro temido, uma possibilidade de aniquilação, um risco de perda de sentido existencial, a possibilidade de uma punição desproporcional, um doloroso vazio, uma doída solidão, um adeus insuportável, um não saber assustador. Essas fantasias tendem a ser vividas na ansiedade patológica praticamente como fatalidades, ainda que racionalmente a própria pessoa rejeite as possibilidades imaginadas. É que nem sempre o vivido e o pensado se encontram de modo harmonioso.

Embora Perls (1977b, p. 63) afirme que as expectativas catastróficas (que aqui chamo de pessimistas, dado que me parece que nesse caso Perls – e também Goldstein [2000] – exageram) são meios pelos quais "nos impedimos de viver, de ser" e que, nesses casos, "estamos continuamente projetando no mundo fantasias ameaçadoras, e estas fantasias nos impedem de assumir riscos razoáveis que são parte e parcela do crescimento e do viver", acredito que tais fantasias podem ser um de nossos melhores instrumentos para diferenciar a ansiedade saudável da patológica. Se essas fantasias repetidamente nos impedem de assumir riscos, como diz Perls, ou se nos conduzem a comportamentos temerários, estamos diante de ansiedade patológica, aquela que gera impasses e evitações, podendo também gerar desespero e, com este, atitudes temerárias; no entanto, se elas nos possibilitam correr riscos de forma corajosa, estamos diante de ansiedade saudável. Em outras palavras, a maneira como lidamos com nossas expectativas pessimistas diz respeito à maneira como esse salto para o futuro pode ser dado e também às suas possíveis consequências. É preciso notar que o problema não são as expectativas pessimistas, mas sim a forma como elas são vividas. Ter expectativas pessimistas é típico do humano e é sabedoria, pois elas podem gerar cuidado e atitudes preventivas.

Como já vimos, uma das principais dificuldades para diferenciar o medo da ansiedade é o fato de que as reações corporais são muito semelhantes. O mesmo vale para as reações corporais devidas às boas expectativas, os estados desejosos. Vou contar uma história que vivi recentemente.

Estávamos, em meu grupo de pesquisa, lendo e discutindo um texto que eu acabara de escrever sobre ansiedade e trânsito religioso quando uma colega estranhou uma afirmação minha de que toda ansiedade está ligada a expectativas pessimistas. Ela argumentou que se sentia ansiosa cada vez que ia viajar, casos em que tinha expectativas otimistas. Argumentei com ela que, embora possa haver predominância de expectativas positivas, sempre há também expectativas pessimistas em viagens – e são elas, por exemplo, que não nos deixam esquecer o passaporte, quando é o caso. Mas essa expectativa pessimista pode ser insignificante nesses casos. Então, se não há preponderância da ansiedade, mas do desejo, por que temos praticamente a mesma vivência corporal? Acredito que isso se deve a um limite humano: o corpo reage praticamente do mesmo modo ao desejo, à ansiedade e ao medo. Há descarga de adrenalina, o coração bate mais rápido, o sangue vai mais para a periferia do corpo, as pupilas se dilatam, os lábios se avermelham etc. A diferença, então, será o sentido dado a essa reação corporal, a qual, aliás, se repete também em grande parte na raiva. Quando essa reação é ligada à ansiedade, isto é, às expectativas pessimistas, há preparação para a ação; quando ligada ao medo, há ação de luta ou de fuga; quando ligada ao desejo, preparação para o contato amoroso e/ou prazeroso. O corpo reage quase da mesma forma para vivências diferentes. O que faz diferença mesmo é contato corporal suficiente para discriminar as nuanças e os sentidos.

Na ansiedade, temos uma vivência de tensão entre o momento atual e o momento futuro, que será saudável ou não a depender de como a pessoa lida com essa capacidade (tão humana!) de tentar prever o futuro. Se prevê como hipótese, há ansiedade saudável, ao passo que, se prevê como certeza (ainda que racionalmente entenda que toda certeza voltada para o futuro é absurda), há ansiedade patológica. Certa vez, perguntaram a Perls se o passado também traz ansiedade, e sua resposta foi límpida: "Se você sente ansiedade pelo que fez, não é ansiedade pelo que você fez, mas ansiedade pela punição que virá no futuro" (Perls, 1977b, p. 73).

Um dos elementos diferenciais da qualidade da ansiedade são seus frutos, suas consequências – se ela gerar cuidado, é saudável; se gerar evitação ou atitude temerária repetidas, é patológica, pois a previsão como hipótese gera cuidado, enquanto a

DIALOGAR COM A ANSIEDADE

previsão como certeza produz controle, impasse, evitação. Lembro-me de um cliente que atendi há um bom tempo, um professor universitário. Seu sonho era fazer pós-doutorado na Europa, mas ele tinha certeza de que nunca conseguiria realizá--lo, pois a universidade jamais lhe daria essa oportunidade. Provocado em terapia a trocar o "jamais" por "talvez", ou seja, a trocar a suposta certeza por uma hipótese, algum tempo depois ele se encorajou e solicitou a bolsa, recebendo, para seu espanto, a resposta de que em dois anos a oportunidade lhe seria oferecida e ele estudaria fora do Brasil. O movimento do cliente foi o de trocar a ansiedade patológica pela saudável, a qual em pouco tempo abriu espaço ao medo e, através dele e com ele, à coragem para a ação cuidadosa, no caso o pedido de bolsa da forma como ele o fez.

Antes de trocar o "jamais" por "talvez", ele, como todo mundo que passa por situações assim de maneira evitadora, ficava entre três possibilidades mais prováveis de defesa pouco salutar: poderia se impedir de pedir, e aí mesmo é que não receberia o curso (evitação); poderia negar a possibilidade da recusa e, assim, solicitar de forma inadequada ou mesmo exigir o curso (onipotência); ou poderia fugir da conscientização do risco e dizer que tal curso, mesmo que lhe fosse oferecido, não seria assim tão importante (deflexão).

Observe-se que esse cliente não abandonou a ansiedade, ele apenas a colocou a seu lado, como aliada que lhe proporcionou cuidado e tato ao fazer o pedido de bolsa, prescindindo da segunda defesa pouco salutar que descrevi. A consciência intensa de seu desejo de fazer o curso não permitiu a defesa defletora. Essa vivência de meu cliente, o fato de ele ter transformado a ansiedade de fonte de paralisação em fonte de cuidado, mostra que a ansiedade é inerente ao humano. Ela pode ser ou se tornar patológica, mas vivenciá-la não caracteriza por si só patologia, apenas vivacidade.

Ansiedade e vida cotidiana

QUAIS SÃO AS CARACTERÍSTICAS mais importantes da ansiedade de que falamos aqui? Vamos tomá-las, a princípio e resumidamente, em seis aspectos, os quais descreverei a seguir, não sem antes lembrar que essas vivências vão ser patológicas ou sadias a depender do grau de autossuporte e de suporte ambiental que a pessoa tiver. Os seis critérios mais importantes para estudarmos a ansiedade são, no meu modo de ver,

1 as relações interpessoais;
2 a temporalidade (o tempo vivido);
3 a espacialidade (o espaço vivido);
4 a corporeidade (o corpo vivido);
5 o dar-se conta (conscientização);
6 a vida afetiva.

Para cada um desses aspectos, darei exemplos de situações ansiogênicas que me parecem ser comuns na vida cotidiana.

No que diz respeito às *relações interpessoais*, a ansiedade pode aparecer na forma de falta de confiança em si ou no outro; insegurança; necessidade de controle de si ou do ambiente; tensão no contato. A vida cotidiana em nossa cultura é fundamentada em um tipo de controle no qual há suficiente clareza e ênfase com relação ao que se espera de comportamentos e a relacionamentos, o que acaba por tolher a espontaneidade e ampliar a ansiedade. Mais adiante discutirei em detalhe as relações entre ansiedade e obediência para deixar isso mais claro.

No que diz respeito à *temporalidade*, o indivíduo em ansiedade tem dificuldade de ficar no presente, vivendo um futuro geralmente temido; tende a ter muitas expectativas, nem sempre realistas, e a vivenciar uma tensão entre o agora e o depois, como bem afirma Perls (1977b). Muitas pessoas sempre estão de olho no relógio, preocupados mais com o tempo cronológico que com o tempo vivido, o que acaba por dificultar a entrega ao presente. Voltarei a esse tema e o aprofundarei no Capítulo 7, quando tratar da espera e da esperança.

Na questão da *espacialidade*, a ansiedade indica insegurança quanto à ocupação de espaços, além de temor com relação a espaços novos e, por isso, pode gerar um estado de muita atenção ao ambiente. É também a ansiedade que vai dar o tom dos caminhos, ou seja, se eles tenderão a ser curtos ou longos: a vivência da distância (do espaço) nem sempre coincide com o espaço ou a distância objetiva, de modo que um caminho objetivamente curto pode ser vivido, em função da ansiedade, como longo, ou o contrário. Exemplo disso é uma vivência bastante comum, a sensação de que a volta de uma viagem é mais rápida e tranquila que a ida, ainda que a estrada para ir e vir seja a mesma – é que a ansiedade da ida é diferente da ansiedade da volta. Ainda no que diz respeito à espacialidade, em terapia a ocupação de espaço de maneira simbólica é um tema bastante comum, geralmente sob a queixa de que, por causa de uma vivência de ansiedade, a pessoa não está usufruindo adequadamente o espaço (concreto e existencial) que poderia aproveitar.

Na *corporeidade*, a ansiedade pode gerar uma tensão muscular desproporcional, às vezes crônica quando não se dialoga com ela, um corpo sob controle e dificuldade de relaxar e descarregar as tensões. É queixa comum também em terapia certa dificuldade de perceber ou validar nuances corporais, tais como sentimentos, desejos, necessidades de toque, de carinho, de colo, especialmente de vivências que poderiam trazer um relaxamento, um derretimento corporal indicativo de ausência de ansiedade, excitações que encontrem seu estado natural de descarga e realimentação. Em muitos casos de ansiedade patológica, o que encontramos é o corpo submetido à máscara, o gesto estudado em vez do gesto espontâneo. Na ansiedade saudável, há mais o que poderia parecer excitação, embora seja mesmo ansiedade. Isso porque esta gera uma prontidão corporal semelhante à do medo, como vimos, mas com sentido diferente.

Na *conscientização*, é possível encontrar, na ansiedade patológica, o perfeccionismo, o temor desproporcional à rejeição ou humilhação, as expectativas catastróficas, o assim chamado medo do palco, ou seja, temor de ocupar um lugar que provoque a atenção de outros. O perfeccionismo é, talvez, um dos maiores riscos de ansiedade na vida cotidiana, pois há uma exigência ambiental, quase sempre introjetada, bastante forte nesse sentido. Espera-se que as pessoas não errem, que não demonstrem imperfeições, dúvidas, temores, curvas, o que facilita uma busca mais ansiosa do que seria desejável e o estabelecimento de metas onde deveria haver horizontes.

Na *vida afetiva*, quando ansiosa, a pessoa tem dificuldade de se entregar aos sentimentos e aos ambientes, sobretudo porque tem dificuldade de confiar em seus afetos ou em como eles podem ser recebidos pelo ambiente – em especial aqueles afetos que nossa cultura erroneamente classifica como ruins: a raiva, a tristeza, o medo e suas combinações. Há aqui uma questão de

DIALOGAR COM A ANSIEDADE

suma importância: não sentimos o que queremos, mas apenas o que podemos; não temos controle sobre nossos sentimentos, apenas sobre nossos atos, e assim mesmo nem sempre. Não há sentimento ruim, há gestos ruins. Os sentimentos são sinais de nosso corpo em reação ao vivido; quando proporcionais às situações vividas, e não cronicamente repetitivos, são protetores, orientadores, reveladores, humanizadores, verdadeiros antídotos para a ansiedade patológica e alimento nutritivo para a saudável. Voltarei a esse ponto quando tratar da atual patologização de nosso cotidiano.

Depois de todas as reflexões deste capítulo, sabemos agora que a ansiedade é inalheável da vida, é inescapável e sempre pessoal ao longo da existência, o que nos coloca diante da necessidade de buscar compreendê-la e dialogar com ela a todo momento na vida cotidiana. A fim de incrementar essa possibilidade de diálogo com a ansiedade, penso que a maneira como Tillich enfoca essa vivência humana pode ser muito útil aos terapeutas e, por via destes, aos clientes. Para Tillich (1967), a ansiedade nos ameaça de duas maneiras, uma absoluta e outra relativa, e pode ser vivida, em qualquer das duas maneiras, de forma saudável ou patológica, a depender de circunstâncias existenciais. As reflexões de Tillich, instigantes e utilíssimas em terapia, são nosso próximo tema.

3. Paul Tillich como suporte para lidar com a ansiedade em psicoterapia

"A coragem de ser é sempre essencialmente a coragem de ser como uma parte e a coragem de ser como si próprio, em interdependência."

(TILLICH, 1967, P. 66)

As teorizações e a compreensão de Paul Tillich acerca da ansiedade têm sido para mim fonte de importante apoio em psicoterapia quando lido com o tema em consultório. A chave de compreensão dessa vivência oferecida pelo autor abre caminhos férteis no processo terapêutico e é de grande valia para as intervenções do terapeuta, pois facilita reconhecer onde e de que forma a ameaça que gera a ansiedade atual age. Uma vez reconhecida a ameaça, pode-se com mais facilidade e efetividade desvendar que cuidados são necessários para que o risco se transforme em crescimento. Neste capítulo, vou sintetizar e comentar as reflexões de Tillich em seu livro *The courage to be* (1952), publicado em português em 1967 com o título de *A coragem de ser*, um dos mais interessantes tratados éticos e psicológicos sobre a ansiedade, a meu ver.

Quando dou aulas sobre o tema, sempre me espanta como Tillich é pouco conhecido pelos psicólogos humanistas, mesmo tendo tanta importância no surgimento desse movimento. Tillich foi professor e teve interlocuções com os principais expoentes da psicologia humanista inicial, inclusive os iniciadores da Gestalt-terapia. Para dar aos alunos uma noção da importância desse autor para nossa abordagem, sempre sugiro que pesquisem sua vida e sua obra. Tillich, que nasceu na Prússia em 1886 e faleceu em Chicago em 1965, era teólogo e filósofo, foi pastor da Igreja Luterana Evangélica e capelão na Primeira Guerra Mundial, na qual Fritz Perls também atuou como médico. Eles não se encontraram lá, ao menos que se saiba. Fez parte da escola de filosofia de Frankfurt, tendo sido orientador de Theodor Adorno. Foi fundador, com um grupo de amigos, do movimento intelectual do "socialismo religioso" – um dos motivos de seu estranhamento com o regime totalitário de Hitler. Tendo perdido sua cátedra devido a suas posições antinazistas, Tillich, como tantos intelectuais europeus daquela época, emigrou para os Estados Unidos em 1933, antes, portanto de Fritz e Laur Perls. Lecionou teologia por mais de 20 anos no Union Theological Seminary e na Columbia University, de Nova York. Lecionou também em Harvard e em universidades de Chicago, onde coordenou importantes seminários de estudos da religião com Mircea Eliade, um dos mais destacados teóricos da fenomenologia da religião. Depois dos anos 1950, fez frequentes viagens à Europa para cursos e conferências. Em 1962, recebeu o Prêmio da Paz do Comércio Livreiro Alemão.

As ansiedades

A LINGUAGEM DE TILLICH na edição brasileira de seu livro é fortemente marcada pela época e por sua especialização, mais próxima da filosofia que da psicoterapia. Isso obriga a que, em função da maior clareza possível, sejam feitas aqui, sempre que possível, algumas atualizações e ampliações que respeitarão o sentido do texto do pensador.

DIALOGAR COM A ANSIEDADE

Tillich trata em seu livro da ansiedade humana e a divide em existencial – a inafastável ameaça de não ser – e não existencial, patológica, a qual resulta de situações fortuitas na vida humana, dado que ninguém pode ser responsabilizado por patologias na área da assim chamada saúde mental. Tillich (1967) distingue três tipos de ansiedade existencial, "de acordo com as três direções nas quais o não ser ameaça o ser":

> O não ser ameaça a autoafirmação ôntica do homem, de modo relativo, em termos de destino, de modo absoluto, em termos de morte. Ameaça a autoafirmação espiritual do homem, de modo relativo, em termos de vacuidade, de modo absoluto, em termos de insignificação. Ameaça a autoafirmação moral do homem, de modo relativo, em termos de culpa, de modo absoluto, em termos de condenação. (p. 30)

Essas três ameaças podem ser resumidas em três ansiedades: "a do destino e da morte (em resumo, a ansiedade da morte), a do vazio e perda de significação (em resumo, a ansiedade da vacuidade), a de culpa e condenação (em resumo, a ansiedade da condenação)" (p. 30). O autor completa: "Os três tipos de ansiedade (e de coragem) são imanentes um no outro, porém normalmente sob a doutrinação de um deles" (p. 30). Ou seja, embora estejamos sujeitos aos três, a cada episódio ansioso um prepondera.

Tillich (1967) afirma que a ansiedade inclina o ser humano para a coragem "porque a outra alternativa é o desespero. A coragem resiste ao desespero tomando a ansiedade dentro de si" (p. 49). Quando trata da ansiedade não existencial, patológica, o autor situa numa espécie de meio-termo entre o desespero e a

59

coragem tanto a pessoa comum ("embora potencialmente neuró-tica") quanto o neurótico, o qual se afirma "numa escala limitada", "pois o eu que é afirmado é um eu reduzido". Assim, para Tillich, "neurose é o meio de evitar o não ser evitando o ser" (p. 49).

Os psicoterapeutas conhecem bem esse estratagema tão co-mum nas evitações vividas e relatadas por tantos clientes, as quais muitas vezes são difíceis de enfrentar. Como exemplo, me lembro de um cliente que buscara a terapia com a queixa de an-siedade e dificuldades quanto ao mundo profissional. Era um jovem brilhante, já reconhecido e premiado na época da faculda-de, que ao ingressar no mundo profissional embotou-se profun-damente, não conseguindo sequer aventurar-se a permanecer por mais que alguns meses em um trabalho. Mal conseguia uma colocação e logo se afastava, quase sempre com a crítica de que não era reconhecido, ou seja, montado em uma notável *hybris* que ele não reconhecia ou nem sequer percebia. Com o tempo e com as buscas terapêuticas, fomos descobrindo que havia na-quele jovem uma forte ansiedade relacionada com a autoafirma-ção: ele temia não ter força para se afirmar e, por isso, sempre que a vida lhe exigia alguma dose maior de autoafirmação, entra-va em um impasse e evitava a situação ansiogênica – no caso, demitindo-se do emprego e preservando a fantasia de que era brilhante. Em outros termos, para evitar descobrir que poderia não ser assim tão brilhante como imaginava (evitar o não ser, nas palavras de Tillich), ele evitava descobrir o limite de sua compe-tência e afirmar-se como profissional (evitar o ser, para Tillich). Quando conseguiu vencer essa ansiedade e a transformou em medo, pôde agir corajosamente no sentido de encontrar a hu-mildade de que necessitava para compreender que ser compe-tente não é o mesmo que ser perfeito, e que mesmo a mais brilhante inspiração requer muita transpiração para deixar de ser potencial e se realizar.

Seguindo os comentários sobre a obra de Tillich, vou sintetizar sua visão acerca de cada uma das três ansiedades, ilustrando-as com exemplos reais.

A ansiedade da morte em terapia

PAUL TILLICH, COMENTANDO A ansiedade de morte, diz que esta, quando não incorporada, "impele a uma segurança que é comparável à segurança de uma prisão. [...] Medo deslocado é uma consequência da forma patológica de ansiedade do destino e da morte" (p. 49). A forma saudável da ansiedade de morte deriva da consciência da provisoriedade das coisas e das pessoas, ou seja, da vivência do ritmo de vida-morte-vida tão marcante em nossa existência. Com essa ansiedade saudável, lidamos com as finitudes como iluminações para a vida, como convites para a entrega ao jogo da vida sem apego às perdas, isto é, compreendendo as perdas como inerentes à existência; doloridas, sim, mas superáveis, se o vivido foi belo e pleno de sentido. Há algum tempo, vivi um encontro das duas formas dessa ansiedade, a patológica e a saudável, que foi muito interessante. Eu passeava com minha cachorrinha, uma pinscher de 15 anos de idade, quando uma senhora me abordou, encantada com o bichinho, que pesa apenas 1,5 kg. Pessoas se encantando com seu tamanho quando passeio é uma vivência muito comum, e ali estava uma experiência que parecia repetida. Mas a senhora foi tomada pela ansiedade patológica e, vendo que a cadela já tinha muitos pelos brancos em meio aos negros habituais da raça, perguntou sua idade. Quando eu lhe respondi, sua observação foi típica da ansiedade patológica: "Então se prepare, pois ela vai morrer logo!" Aquilo me pegou tão desprevenido e, ao mesmo tempo, parecia vir com tão boa intenção, que nem consegui responder. A resposta da senhora era uma praga soltada com um sorriso terno. Depois que ela se foi e eu continuei o passeio, fiquei pensando na expressão "se prepare!" Como seria se preparar para a morte de um ente querido? Pela conotação dada, tal preparação implicava não desfrutar o momento; era como se ela dissesse: "Vá se afastando desse objeto de amor, pois um dia ele vai morrer e você vai sofrer. Então é mais seguro evitar desde já a dor dessa provável perda". Com essas reflexões, peguei minha cachorrinha, dei nela um gostoso abraço e reafirmei que a melhor forma de lidar com sua provável morte era saboreando ao máximo sua presença, confiante de que, se for o caso, saberei lidar com sua perda e com a dor dela decorrente, confirmando o amor vivido e a capacidade de amar.

Essa forma de viver tal paradoxo – entregar-se porque haverá um fim – é bastante conhecida dos bons terapeutas, que se entregam ao vivido em cada sessão e em cada relação terapêutica confiantes de que é exatamente essa entrega um dos requisitos para um bom trabalho terapêutico, ao mesmo tempo que sabem que um bom trabalho terapêutico é aquele que acaba um dia, quando o cliente pode finalmente entregar-se à sua vida sem o suporte do guia terapeuta. Em outros termos ainda, podemos afirmar que a relação terapêutica existe para não existir, o que faz dela também uma relação ansiogênica para o terapeuta. Essa ansiedade, se saudável, propicia a entrega e amplia as possibilidades de sucesso do trabalho terapêutico; se patológica, gera manipulações e terapias sem fim, marcadas mais pelo apego que pela generosidade.

É interessante salientar que Tillich, em sua obra, trata de um tema muito atual e importante: a fronteira multiprofissional na lida com essas questões. É certo que ele aponta apenas o possível encontro entre duas possíveis maneiras de ajudar aquele que sofre de ansiedade, mas seu raciocínio é uma boa base para reflexões, se incluirmos outros agentes de ajuda à saúde emocional humana.

Para Tillich, a ansiedade patológica merece cuidados do profissional da área da saúde, enquanto a ansiedade existencial merece ajuda sacerdotal, embora nenhuma dessas funções deva ser restrita a cada área, da mesma maneira que "as funções não devem ser confundidas e os representantes não devem tentar um substituir o outro" (p. 57). Ainda assim, e dentro de seus limites, "o ministro pode ser um terapeuta e o psicoterapeuta um sacerdote, e cada ser humano pode ser ambos em relação ao próximo. O alvo de ambos (terapeuta e ministro) é ajudar os homens a alcançar a autoafirmação plena, a atingirem a coragem de ser" (p. 57).

A terapia e a ansiedade da condenação

SITUAÇÃO SEMELHANTE PODE SER encontrada na ansiedade de condenação patológica (Tillich, 1967, p. 56):

> a ansiedade de se tornar culpado, o horror de se sentir condenado, são tão fortes que fazem quase impossíveis decisões responsáveis e qualquer espécie de ação moral. [...] A autodefesa moralística do neurótico faz com que ele veja culpa onde não existe culpa ou onde se é culpado só de forma muito indireta.

A culpa é inerente à vida e necessária a ela, dado que nos propicia a possibilidade de reparação e transformação. Sem a culpa não aprenderíamos e teríamos nosso desenvolvimento prejudicado. Trato aqui do que se pode chamar de culpa produtiva, ou seja, aquela que traz transformação porque encoraja ao risco de fazer diferente e de perdoar: perdoar a si e ao outro, quando é o caso, e/ou de pedir perdão quando esse gesto é o mais apropriado. Há também a culpa improdutiva, aquela que fundamenta postergações e é repetitiva, base de muito sofrimento e bastante presente nos transtornos de humor, nos quais aparece associada aos "deverias".

Um exemplo bem simples, mas ilustrativo, da lida com a culpa foi vivido por um cliente, padre, que certo dia chegou à sessão se sentindo muito culpado pelo seu comportamento naquela manhã. Ele fora procurado por uma fiel de sua paróquia, uma jovem de quem ele gostava muito e era assídua frequentadora das missas e dos eventos paroquiais. Essa moça veio lhe dizer que precisava marcar o casamento, pois se descuidara e estava grávida. Meu cliente contou que se sentiu traído em sua confiança no catolicismo da moça, pois como podia ela manter relações sexuais antes do casamento e, pior, querer casar-se porque engravidara? Ele lhe passou uma forte reprimenda, praticamente a condenou ao Inferno, e viu a moça sair da igreja transtornada e aos prantos. Pouco depois, sentiu-se culpado. Que fazer? Como padre, ele tinha uma moral a zelar, tinha a obrigação de repreender a moça que não seguira os preceitos da religião. Mas, raciocínios à parte, ele vivia uma intensa culpa, uma sensação de ter sido injusto, pouco compreensivo – e, pior, pouco caridoso, valor fundamental para um padre. Vivia um conflito quando chegou à sessão. Sua primeira reação foi tentar não ouvir a culpa, transformá-la em culpa improdutiva e racionalizar com base na punição ao pecado, como que dizendo: "Ela

DIALOGAR COM A ANSIEDADE

pecou, merecia mesmo ser tratada daquele jeito". Para meu alívio, sua saúde o impeliu a questionar-se. E, questionando-se, ele foi se transformando ao transformar a culpa potencialmente improdutiva em produtiva. Criticou-se, criticou sua forma de atuação – pouco cristã, no seu modo de ver. Chorou, chorou muito ao perceber que agia assim com a moça, com outras pessoas, consigo mesmo. Um choro catártico, transbordante de possibilidade de perdão. Depois, viveu um denso silêncio, apropriando-se da culpa e dialogando com ela. Foi embora mobilizado, triste e não mais em conflito. Na semana seguinte, voltou renovado, em certa medida libertado. Contou-me que, tão logo chegara em casa, ligara para a moça e pedira para conversar com ela. Encontraram-se logo depois e ele lhe pedira perdão pelo seu comportamento, pedido que fora aceito com muita emoção por ela. Essa atitude de meu cliente renovou na moça a fé em sua religião e abriu a possibilidade de que ela seguisse o caminho que planejara antes. E, sobretudo, libertou meu cliente para a compaixão, sentimento antes abafado pelas suas introjeções cristalizadas.

Nessas sessões, minha conduta foi toda baseada em Tillich, na abertura para facilitar ao meu cliente o dimensionamento de sua culpa, a percepção do "horror a se sentir condenado" por não cumprir *ipsis litteris* o papel de pastor tal como tinha aprendido em sua rígida e desumanizante congregação. Mais adiante, em seguidas sessões, discutimos o limite de sua culpa, o quanto ela era realmente dele, o quanto era preciso dividi-la com o ambiente opressor no qual tinha se formado padre. Essas discussões éticas lhe trouxeram uma nova possibilidade moral e, certamente, novas possibilidades pastorais e existenciais.

ÊNIO BRITO PINTO

A terapia e a ansiedade da vacuidade

O DICIONÁRIO *HOUAISS* NOS ensina que vacuidade, no sentido que tratamos aqui, quer dizer "vazio moral ou intelectual, vaziez de espírito, sensação de ausência de valor, de sentido em si ou fora de si". Muito possivelmente essa descrição traduza a queixa (ou o fundo da queixa) da maioria das pessoas que procuram ajuda do psicoterapeuta por estarem vivendo ansiedades patológicas. Essa sensação caracteriza, a depender de como é vivida, a depressão ou o estado depressivo, quando não o tédio existencial, também um sintoma importante. A ansiedade de vacuidade pode ter sua forma patológica, sobretudo na criação de certezas "em sistemas de significação que são sustentadas pela tradição e autoridade". Dessa forma, a pessoa neurótica "duvida do que está praticamente acima de dúvida e tem certeza onde a dúvida é adequada. Acima de tudo, [...] não admite a pergunta da significação, em seu sentido universal e radical" (Tillich, 1967, p. 56).

A ansiedade da vacuidade, quando vivida de forma saudável, quando ameaça relativa, nos termos de Tillich, transforma em confiança o que antes poderia ser certeza. Todos nós temos nossos valores, que nos guiam em nossas decisões e em nossa postura ante os fatos da vida. Esses valores, depois de introjetados, tornam-se nossos por nossas reflexões e vivências, de forma marcante na adolescência, e se tornam os guias de nossa adjetivação da vida. São eles que nos embasam na avaliação que fazemos dos acontecimentos – pessoais ou sociais – em nossa vida. Quando presa da ansiedade patológica, a pessoa toma seus valores como verdades e entra numa postura que chamo de tradicionalista: postura de rigidez que não admite dúvidas quanto àquilo em que crê. Quando vive a ansiedade saudável, o indivíduo, ao perceber que certo valor está ameaçado,

DIALOGAR COM A ANSIEDADE

questiona-se e verifica a atualidade de tal valor, corrigindo-o ou o confirmando com coragem quando é o caso.

Joana (nome fictício) era uma mulher bastante tradicionalista nos seus 34 anos de idade. Casada havia alguns anos, um dia desconfiou de atitudes do marido e decidiu vasculhar o celular dele, invadindo sua privacidade – erro cada vez mais comum nos casais, fruto, talvez, da dificuldade de perguntar, de indagar, de questionar o outro, de viver intimamente. Ao encontrar no celular do marido conversas aparentemente eróticas com uma amiga, desesperou-se. Para ela, isso seria, de acordo com o que aprendera em sua família, motivo para terminar o casamento, mas não podia fazê-lo, pois tinha prometido no altar que ele seria para toda a vida. Presa entre duas introjeções, Joana procurou a terapia. Ali, sentiu-se convidada a admitir "a pergunta da significação, em seu sentido universal e radical". O que significava para ela o casamento? O que significava a fidelidade? Qual era o significado da promessa no altar? É possível nessa idade fazer-se uma promessa para o resto da vida? Aos poucos, outra pergunta se impôs: havia intimidade naquela relação? Por que ela não perguntara ao marido em lugar de olhar no celular dele? Um feixe de questões que possibilitaram uma série de ressignificações à medida que a ansiedade patológica foi se tornando saudável e ela foi descobrindo como questionar e atualizar seus valores à medida que amadurecia. Diante do contato com a ansiedade saudável, ela conseguiu, com medo e coragem, questionar o marido, mesmo correndo o risco de ver findo o casamento, pôde rever com ele a relação que tinham e incrementar a intimidade do casal. A partir dali, sempre que percebia uma ameaça a valores, fossem ligados ao casamento ou a qualquer outra área da vida, ela buscava refletir para assimilar ou renovar o valor ameaçado.

ÊNIO BRITO PINTO

As ansiedades no mundo pós-moderno em um olhar baseado em Tillich

Isso POSTO, CABEM ALGUMAS questões: hoje, passados praticamente 70 anos desde que Tillich lançou o livro e as ideias em questão, haverá diferenças na vivência dessas ansiedades? Como o ser humano atual tende a lidar, em nosso mundo cada vez mais líquido, com as ansiedades não incorporadas pela coragem de que fala Tillich – a ansiedade patológica da morte, a ansiedade patológica da vacuidade, a ansiedade patológica da condenação? Em outros termos, como anda hoje o campo de nossa existência, especialmente em seus aspectos sociais, no que diz respeito à teorização de Tillich? Farei algumas reflexões sobre isso.

A cultura ocidental e a ansiedade da morte

A MORTE, O NÃO ser, a única certeza humana, tende em nossos tempos pós-modernos a ser considerada, quando apoiada na ansiedade patológica, através de uma paradoxal negação, a qual pode ser vista sob dois prismas: a ênfase excessiva e imediatista no presente e a banalização da morte e do morrer. A ênfase imediatista no presente se faz à custa do passado e do futuro, da tradição e dos horizontes comuns. O que vale é o imediato, se possível vivido de maneira febril e consumista, ainda que vazio. É o apressado e o imediato como fuga da condição histórica que caracteriza cada ser vivente e exige de cada ser a coragem diante da finitude. Ao fugir de sua condição de ser histórico, cada ser humano hoje é convidado a viver como se a vida começasse com ele e pudesse se perpetuar eternamente nele, negando o morrer o quanto pode. Nega-se também a

68

morte banalizando-a, o que acontece com frequência num mundo com tão pouca atenção à empatia.

A ansiedade saudável, no que tange à morte e ao morrer, gera quatro prismas importantes, todos em busca de atitudes preventivas que valorizem a vida sem negar nem desconsiderar sua finitude. São eles:

1 As pesquisas que se fazem em busca de maior conhecimento sobre o adoecimento e sobre as possibilidades de cura e de prevenção de doenças.

2 Os esforços em prol do meio ambiente e do desenvolvimento sustentável.

3 A luta pela diminuição das mortes violentas, quer seja a violência assassina, quer seja a violência no trânsito.

4 O crescimento, no campo da psicologia, do cuidado com a vida em virtude de sua finitude – o que pode ser verificado no crescente número de abordagens e de terapeutas que consideram explicitamente a morte e o morrer, os cuidados paliativos, as relações familiares em um período mais amplo que a existência do cliente – e também o sentido da religiosidade na psicoterapia.

Se compreendermos o destino como os acontecimentos do mundo que não estão sob nosso controle (ter nascido onde nascemos, em determinado ano e determinada família, as catástrofes naturais, as oportunidades que temos na vida, a forma preponderante de a sociedade se organizar no período em que vivemos etc.), a maneira como lidamos com esse destino é semelhante, no aspecto patológico, a como lidamos com a morte e também tem seus dois lados mais comuns: de um lado, a tentativa de negar o destino por meio da onipotência narcísica, a qual afirma que, se você agir dentro de certos parâmetros, seus desejos serão inevitavelmente realizados; de outro, a negação do trágico e da inevitável perda decorrente de cada escolha, além da negação das escolhas inevitáveis entre o ruim e o pior que por vezes temos de fazer. Alguns resultados dessa maneira de lidar com a ansiedade patológica da morte são o incremento da ansiedade ante a solidão, a ampliação dos casos de pânico, as fobias tantas que vemos descritas na literatura psicopatológica atual, a falta de empatia, o impressionante número de pessoas em depressão.

A lida com o destino baseada na ansiedade saudável pode ser observada em toda a cultura ocidental na maior conscientização da responsabilidade pessoal diante de fatos da vida, seja no campo da política, seja na busca de atitudes preventivas ante eventos naturais evitáveis, seja na busca da diminuição dos prejuízos causados pelo progresso industrial. Tal lida também se verifica no questionamento das classes sociais e da meritocracia, o qual procura compreender o pertencimento a determinada classe, as imigrações e as possibilidades de promoção pessoal na vida muito mais como criações humanas que como destinos inevitáveis. A busca de uma educação para a responsabilidade e para a solidariedade, além do elogio a condutas proativas com respeito ao social, também são esforços para lidar com a ansiedade do destino.

A cultura ocidental e a ansiedade da vacuidade

Para pensarmos em termos de significação, de autoafirmação e de encontro com os próprios valores, que alternativas a cultura pós-moderna oferece às pessoas para lidar com a legítima necessidade de afirmação autônoma de si como ser pertinente a este momento e a este lugar? Não, o que a cultura nos oferece não é o revificante contato com nossa pequeneza ante o universo que nos é proporcionado pela contemplação do céu estrelado, do mar agitado ou da serra azulada, do gesto generoso gratuito; tampouco é a possibilidade dos contatos amorosos e propiciadores de proximidade e intimidade. As alternativas existentes são sobretudo a ostentação e a certeza. De um lado, parecer ser é o mais importante; de outro, não perguntar, obedecer cegamente, entregar-se sem questionamentos à verdade do outro, sobretudo quando esse outro é a religião, o mercado ou o especialista. Ao fim, a vida rasa obnubila o contato difícil e potencialmente criativo com a prescindibilidade inerente à vida de cada um de nós.

A ansiedade saudável no que diz respeito à vacuidade e à irrelevância tem produzido em nossa cultura interessantes reações ao quadro que descrevi antes, seja no sentido de afirmação de identidades grupais, seja no sentido de afirmação, feita por grupos, da legitimidade de escolhas pessoais. A descoberta de valor das relações homoafetivas, por exemplo, sai do armário com força semelhante à da afirmação das mulheres pelo feminismo, das origens africanas e de outras etnias, das periferias das grandes cidades. Ao mesmo tempo, essa ansiedade saudável abre espaço para que a autoafirmação de cada pessoa como única também propicie o reconhecimento da prescindibilidade de cada um de nós, origem de desapegos que fomentam condutas solidárias generosas.

A cultura ocidental e a ansiedade da condenação

Por fim, e igualmente importante, a trabalhosa lida com a culpa. Volto ao *Houaiss* para deixar claro como compreendo aqui a culpa: "Consciência mais ou menos penosa de ter descumprido uma norma social e/ou um compromisso (afetivo, moral, institucional) assumido livremente". Esse descumprimento pode ser também com relação aos compromissos que assumimos conosco em benefício próprio. Hoje, as pessoas que se apoiam na ansiedade patológica lutam para não se sentir culpadas, como se a culpa fosse sinal de fraqueza ou de fracasso, quando é justamente o contrário. Como vimos, a culpa tem uma função para o ser humano: apontar possibilidades de correção, de reparação e/ou de aprimoramento. Aquele que é vítima de ansiedade patológica tende a lidar com a culpa também de duas maneiras, ambas prejudiciais: de um lado, nega-a com frequência, busca a chamada "psicologia positiva" e afirma que aquilo de que se culpa futuramente se mostrará benéfico, positivo; de outro, transforma-a em condenação, ou em repetitivo sentimento de culpa que paralisa as possibilidades de crescimento e de atualização. Quando muito, e embora tenha dificuldade de pedir, quer o perdão, desde que não tenha de fazer nenhuma reparação ou mudança; com a mesma facilidade, condena dura e concretamente os outros, impossibilitando também a aprendizagem, a mudança e a reparação. Além disso, tem grande dificuldade de perceber que às vezes seus erros são maneiras criativas de propor inovações e mudanças.

O encontro da culpa com a ansiedade saudável é potencialmente transformador tanto para o indivíduo quanto para seu contexto social, pois aqui temos a possibilidade de reconhecer erros e de buscar correções desejáveis de rotas sociais e de inovações. Mas talvez esse seja o ponto em que mais precisamos evoluir como sociedade, pois no Ocidente o reconhecimento de erros e a busca de reparação ou de inovação é ainda gesto muito escasso, fruto provavelmente de certa falta de educação para a autocrítica compreensiva.

Possíveis caminhos para a mitigação da ansiedade patológica

No que diz respeito à ansiedade patológica na visão de Tillich, é importante notar que toda pessoa passa por essas situações dessas maneiras, e apenas isso não caracterizaria um sofrimento patológico. Para que possamos pensar nessas vivências como patológicas, é preciso atentar para algumas peculiaridades: falta flexibilidade, ou seja, há repetição e persistência dessas vivências, com dificuldade de responder adequadamente ao que exige cada situação, em várias áreas da vida (pessoal, profissional, relacional, familiar etc.); essas repetições provocam continuamente sofrimento e prejuízo na convivência da pessoa consigo mesma e com os outros, sobretudo os outros mais importantes; a liberdade da pessoa está tolhida, entendendo aqui liberdade como a capacidade de fazer escolhas com o maior grau possível de conscientização e de responsabilização; com tudo isso, as relações humanas, nascedouro e alimento da condição humana, ficam empobrecidas.

Essas manifestações da ansiedade patológica nos possibilitam pensar em alguns antídotos a ela, em caminhos, em atitudes que podem ser úteis a todos os que buscam uma vida mais plena. Creio que há três atitudes básicas que, se implementadas, facilitam a abertura da possibilidade da superação ou da mitigação da ansiedade patológica e o caminho para a ansiedade saudável: a consciência da finitude como caminho para a busca da presentificação e da plenitude de vida; a autonomia, ou a consciência dos valores próprios na busca de horizonte e sentido; a busca da difícil congruência como forma de autoaceitação e de crescimento.

Em capítulos seguintes comentarei como compreendo a boa configuração da presentificação. No que diz respeito à autonomia, importa lembrar que autônoma é a pessoa que governa a si própria, que confia em seus valores, ao contrário da pessoa heterônoma, que se governa com base no raciocínio e no código de valores de outrem. Nossa fronteira de valores é o farol que ilumina nossos horizontes, ao mesmo tempo que fundamenta nossa intencionalidade, o caminho pelo qual significamos o que nos sucede no correr da existência. O desenvolvimento de valores próprios é tarefa a ser cumprida paulatina e concomitantemente com o desenvolvimento da personalidade, pois a autonomia é conquistada diariamente por toda a vida; é luta sem fim, que tem diferentes desafios e limites diversos, além de distintas ansiedades para as muitas etapas do amadurecimento humano. Desse modo, a autonomia de um adolescente é necessariamente diferente da de um adulto, mas ambas representam um dos mais delicados desafios colocados ante o ser humano. Somente a pessoa com suficiente autonomia pode tornar-se livre, entendendo aqui a liberdade como a define Rollo May, ou seja, a forma como a pessoa se confronta com seus limites, como dialoga com seu destino na vida cotidiana. May (1987, p. 128) lembra-nos ainda que a liberdade é inseparável da responsabilidade: "[...] a liberdade ilimitada é como um rio sem margens; a água não é controlada e o fluxo se derrama em todas as direções, perdendo-se na areia". Dessa forma, se a responsabilidade é representada aqui pelas margens, a ansiedade saudável, matriz do cuidado, configura as matas ciliares que sustentam tais margens, além de exercer outras funções de preservação do rio.

No que diz respeito à congruência, matriz da construção crítica e difícil afinação entre o experimentado, o conscientizado e o expresso, ela gera a sensação de que se é real, autêntico, coerente quanto a sentimentos, atos e palavras. A congruência nos abre a possibilidade de viver relações de pessoa a pessoa, portanto mais humanas. Além disso, o indivíduo suficientemente congruente não se julga, não busca a perfeição, aceita-se como é e procura sê-lo cada vez mais; sabe lidar criativamente com a culpa, compreendendo-a como indicação para reparações, mudanças e/ou aperfeiçoamentos. Isso amplia também a qualidade da inevitável participação comunitária, provocando, por meio da aceitação de si como ser intrinsecamente gregário, presença mais atenta e cuidadosa nos grupos de pertinência. A luta aqui é contra a apatia e os "deverias" e a favor do verdadeiro e da acolhida de si e do outro (com seus paradoxos), luta difícil em um mundo fortemente marcado pelas receitas, pela falta de postura crítica, pela uniformização, pelo "espírito de rebanho", pela predominância da ansiedade patológica.

A congruência, matriz da construção crítica

PARA TERMINAR ESTE CAPÍTULO, enfatizo a decisiva importância de que cada pessoa se pergunte sobre os valores que de fato norteiam sua atividade a cada momento. Sobretudo, é importante perceber que os valores que nos guiam são valores, não verdades. Ainda que nos sustentem bem, são provisórios; ainda que pareçam imutáveis, são flexíveis. A vida bem vivida não tem lugar para certezas absolutas, só para a coragem, a coragem de ser, como bem demonstra Paul Tillich.

Na lida com nossos valores e com nossas ansiedades, dois pontos têm destaque especial, e me dedicarei a eles a seguir. São a liberdade e a criatividade, vivências muito próximas, já que não há criatividade sem liberdade, ainda que só a liberdade interior, da mesma forma que a liberdade abre as portas para a criatividade. Ambas, porque transformadoras, têm a ansiedade como companheira inseparável.

4. A ansiedade em diálogo com a liberdade e a obediência

"Só podemos escapar à ansiedade se não nos aventurarmos
– ou seja, renunciando à liberdade."

(MAY, 1987, P. 231)

A ANSIEDADE SÓ aparece quando existem alternativas, quando há possibilidade de escolha – quem não pode escolher não vive ansiedade, tampouco liberdade, a ponto de May (1987, p. 112) afirmar que "a ansiedade acompanha a liberdade como uma sombra". Trata-se de irmãs inseparáveis, porque, sempre que há a possibilidade ou a necessidade de escolha, há conflito interior e/ou com o ambiente. Para May (1988, p. 124), quanto mais esse conflito se aproxima do confronto "entre o que chamamos ser e não ser", mais ansiedade tende a gerar. Isso porque esta é vivida "no momento do aparecimento de alguma potencialidade ou possibilidade diante do indivíduo, alguma probabilidade de preencher a existência; mas essa possibilidade implica a destruição da segurança atual, o que por sua vez provoca a tendência a rejeitar a nova potencialidade". Em outros termos, a possibilidade de realização de determinado potencial provoca ansiedade, pois atualizar potenciais implica perda escolhida, escolha que se dá tanto melhor quanto maior forem a liberdade, a consciência e o desapego. Dessa forma, o elemento primordial para que a ansiedade ante a liberdade seja vivida de maneira saudável, ou não, é a qualidade da conscientização no

ÊNIO BRITO PINTO

exercício de escolher, além da confiança na autonomia vivida – questão que reputo muito importante.

São muitos os exemplos de pessoas que renunciam à liberdade na expectativa de mitigar a ansiedade, escondendo-se em posturas dogmáticas ou moralistas, pouco autênticas, danosas para si e para o ambiente. Essa fuga à liberdade como forma de fugir da ansiedade proveniente da escolha é, também e paradoxalmente, uma escolha, que acaba por ampliar o risco da ansiedade patológica. Essa tentativa de evitação da ansiedade, uma atitude ansiosa, pode se dar em contextos relativamente simples e nos mais complexos, em situações de poucas consequências para outros e naquelas que podem repercutir em toda uma comunidade. Como exemplo de vivência aparentemente simples, lembro-me de um padre que certa vez me procurou solicitando auxílio terapêutico porque vivia intensa ansiedade motivada por seu desejo de deixar de ser religioso e tornar-se diocesano[1]. Ele almejava voltar a sua região de origem e conviver mais com seus pais idosos. Havia na raiz de sua ansiedade o desejo de autonomia e de poder escolher a maneira de viver a vida consagrada, paralelamente a uma culpa forte e moralista que o impedia de revelar tal desejo a seu provincial e a seus coirmãos, pois ele

---

1. Há, basicamente, duas maneiras de o indivíduo ser padre: ele pode estar ligado a uma congregação ou a uma diocese. O primeiro é chamado de religioso, o segundo, de diocesano. As dioceses são bem delimitadas territorialmente, ao passo que as congregações têm um espaço mais amplo. Outra diferença entre eles é que o padre religioso faz voto de pobreza, ou seja, tudo o que tem torna-se da congregação, ao passo que o diocesano não faz esse voto, pode ter propriedades e salário, além de não viver em comunidade. De resto, ambos fazem votos de obediência e de castidade. O diocesano responde diretamente ao bispo; o religioso, aos superiores da congregação. Com autorização do bispo, um religioso pode se tornar diocesano, e vice-versa.

DIALOGAR COM A ANSIEDADE

temia ser visto como um traidor. Assim, vivia um impasse provocado pela ansiedade de condenação, nos parâmetros de Paul Tillich. Depois de algumas sessões, o padre conseguiu suficiente coragem para enfrentar o dilema, e eu anotei em meus apontamentos: "Obteve muito rapidamente uma nova compreensão e uma nova esperança com relação a seus confrades (e suas possíveis reações), reviu sua situação e procurou novas estratégias para conseguir seu objetivo. Propõe-se a buscar com maior franqueza e clareza seus objetivos quanto à mudança de situação e confia em que conseguirá alcançá-los". Na avaliação final do trabalho, escrevi que, "em função do dogmatismo ao qual se sentia subjugado, e da carga de projeções que fazia, não me pareceu exatamente disponível para fazer terapia, antes pelo contrário: queria um aliado para conseguir convencer seus superiores e confrades da possibilidade de tornar-se diocesano. Convencido de que não obteria tal intuito, dado que não é esse o papel do psicoterapeuta, aceitou analisar sua situação de outro ponto de vista e foi muito rápido na percepção da necessidade de mudança de estratégia e na apropriação da coragem necessária para revelar-se em sua congregação. Parece muito firme na decisão de ir para a diocese". Nesse caso, o papel do atendimento psicológico foi facilitar o contato com o potencial que emergia como desejo e a confirmação da pertinência e da exequibilidade desse desejo, o que possibilitou a integração do que estava introjetado, além da confrontação com o que projetava, com a consequente transformação do dever em compromisso e o diálogo com o ambiente em busca de novos limites.

Esse tipo de vivência fundada em introjeções e em projeções é bastante comum e geradora de ansiedades, às vezes de evitações importantes. É uma vivência de diálogos com o ambiente, de testagem de limites diante dele. Por isso, essa ansiedade, quando saudável, pede cuidado e atenção ao mundo para que se descubra o melhor meio e o melhor formato para a ação necessária; quando patológica, alerta para a tentativa de abdicação da liberdade e a negação do diálogo – a pessoa projeta no outro a restrição que tem em si e não se responsabiliza pela escolha nem por suas consequências. Evita assim a ação necessária, responsabilizando os outros quando, no mínimo, deveria dividir as responsabilidades com eles.

Esse diálogo com o ambiente fica muito prejudicado quando a pessoa vive o que poderíamos chamar de uma liberdade excessiva, quando não consegue reconhecer e validar fronteiras de contato, quando não sente que tem suficiente suporte ambiental. Essa vivência pode levar a uma ansiedade patológica, capaz de gerar condutas invasivas, isolamento, agressões e até depressões. Essa falta de continência ambiental é bastante comum nos casos de alcoolismo ou de drogadição, de uso indevido e exageradamente continuado de medicação psiquiátrica (além de ser um dos fatores que podem levar a ou facilitar assédios e abusos sexuais) – patologias que, nesses casos, podem ser pedidos desorientados de socorro.

A obediência, a ansiedade e a liberdade

UMA DAS INTERFACES MAIS interessantes no que diz respeito à liberdade e à ansiedade é a possibilidade de diálogo entre a obediência e a liberdade. Embora o tema da obediência não seja comum nos livros de psicologia, ela é, sim, um valor muito importante nas entrelinhas das sessões de psicoterapia, de forma que precisa despertar mais atenção dos psicoterapeutas a fim de que possam trabalhar com cuidado as obediências implícitas e suas consequências para o modo de viver. Obedecemos a regras culturais nem sempre explicitadas, obedecemos a antigas lições tomadas na infância e aparentemente esquecidas, obedecemos a más interpretações da realidade pouco questionadas, obedecemos a sagrados pouco dialogais, obedecemos a uma imensa variedade de introjeções não apropriadas. A liberdade é a matriz da desobediência, e esta, por sua vez, a matriz da boa obediência. Dizendo de outro modo, trata-se de um paradoxo muito interessante: a obediência precisa ser um ato de liberdade para que seja integrada e livre da ansiedade patológica. A obediência sadia precisa da possibilidade da desobediência.

Etimologicamente, obedecer quer dizer dar ouvidos, estar atento ao que o outro diz. Esse entendimento me encanta sobremaneira, sobretudo porque permite que a gente possa sair do lugar comum e – quem sabe? – encontrar o lugar da obediência saudável, fruto de apropriações críticas de valores e não de introjeções. Permite também compreender como e por que a boa obediência precisa conviver com a possibilidade da desobediência.

Diz o senso comum que obediência significa acatar aquilo que o outro com autoridade nos diz, de preferência ao pé da letra. Por exemplo, se há um preceito que perdura há séculos, temos de continuar a obedecê-lo, pouco importando se há ou não novos conhecimentos ou outras possibilidades hermenêuticas. É o lugar do tradicionalismo – mas não da tradição, pois esta se renova ao longo das gerações. Vemos bastante esse tipo de obediência tradicionalista e introjetiva no Brasil de hoje.

A obediência acrítica tem muito espaço em nosso mundo ocidental (e em outras plagas também, talvez até mais), alimentando religiões e autoritarismos que buscam primordialmente o

ÊNIO BRITO PINTO

poder sobre, a possibilidade de manter as outras pessoas submetidas e ansiosas. Esses detentores do *poder sobre* encontram, é óbvio, diante de si, aqueles que preferem abdicar do próprio poder e delegá-lo a outro, além daqueles que, por imaturidade emocional derivada geralmente de suporte ambiental pouco fortalecedor no início do desenvolvimento, não conseguem ver outro caminho. Essas escolhas se fazem por diversos motivos, dos mais visíveis – como a falta de autoestima – aos mais complexos, como a falta de oportunidade de educação crítica que possibilite a libertação ante sutis manipulações e adulações. A ansiedade patológica é sempre companheira dessas escolhas pela aparente não escolha.

Por fortuna nossa, sempre há a possibilidade da desobediência, haja vista que a necessidade de crescimento é inerente ao ser humano e não há crescimento sem a possibilidade da desobediência. Ou, como diz Erich Fromm (2013, p. 18), "a liberdade e a capacidade de desobediência são inseparáveis". A possibilidade da desobediência é mãe da autonomia. É ela que faculta o trânsito entre a introjeção e a integração, num trajeto que pode ser sintetizado assim: sempre que recebemos uma ordem ou um conjunto de regras que devemos obedecer, o primeiro contato é através da introjeção, a qual gera um dever, o dever de obedecer; num movimento saudável, essa introjeção precisa ser seguida por uma integração, uma crítica à ordem recebida que possibilitará a aceitação ou a rejeição dela ou de parte dela, e a partir daí, finalizando o processo de integração, a obediência autônoma derivada da compreensão da ordem e da concordância com seus aspectos centrais, ou a desobediência discutida, dialogada, se não há a concordância. Em ambos os casos, o final desse processo é ditado pela confluência, a

DIALOGAR COM A ANSIEDADE

possibilidade da formação da vivência do *nós* (eu mais outra ou outras pessoas) que traz a chance do compromisso e da lida com a ansiedade saudável, existencial.

Assim, a desobediência mais madura parte da obediência, pois a pessoa ouve o que se lhe pede, dá ouvidos àquele que traz a ordem. E questiona. Pergunta e, mais que isso, pergunta-se. Considera o que o outro lhe ordena, mas se orienta pelo que lhe diz seu corpo, base de sua sabedoria. Nas palavras de Fromm (2013, p. 19), "a obediência que só nasce do medo da força deve transformar-se em outra que surja do coração do homem". A pessoa suficientemente autônoma argumenta para encontrar a própria posição, e não descansa enquanto não a encontra. Tal posição, no mais das vezes, consistirá em aceitar parte e reformar parte do que lhe foi ordenado. Com isso, por partir da obediência consideradora, transforma. A pessoa de obediência crítica aqui é revolucionária: transforma-se e ajuda o outro a também se transformar. Se esse outro tiver ouvidos, é claro.

Quando a pessoa não vive com clareza a possibilidade da desobediência nesse sentido que trato aqui, quando abdica da autonomia, tende a desenvolver uma de três possibilidades de reação àquilo que deve ser motivo de obediência, todas potencialmente geradoras de ansiedade patológica: o cálculo de riscos, a conformidade cega ou a revolta. Nos casos mais extremados e graves essas alternativas levam ao radicalismo, até mesmo ao fanatismo, mas nos casos mais comuns – e como são comuns! – conduzem ao ressentimento, à infelicidade moralista ou à vida dupla. Isso porque se baseiam no dever em vez de no compromisso. Vou comentar cada uma dessas possibilidades de abdicação da autonomia, exemplificando, quando possível, com situações vividas em terapia.

O cálculo de riscos é aquela atitude que desobedece sem assumir a desobediência, confiante na possibilidade da ocultação da responsabilidade. Não há quem não tenha passado por isso, seja ao dirigir acima do limite permitido confiando em que não haverá policiamento, seja ao contar uma mentira com boas finalidades, seja em aventuras sexuais que provavelmente não serão descobertas pelo cônjuge, seja na atitude de bisbilhotar o celular do marido ou da esposa. São escolhas por não confrontar honestamente o outro ou determinado dever, escolhas que geram uma ansiedade diferente daquela do enfrentamento – ansiedade aparentemente mais fácil de lidar, mas igualmente mais danosa em longo prazo, sobretudo se a escolha do cálculo de riscos é repetida, quase perene, como no caso daqueles que preferem viver uma vida dupla a assumir uma posição ante o mundo.

Lembro-me de um cliente que me procurou porque estava cansado de esconder sua homossexualidade. Tinha cerca de 50 anos, era bem-sucedido profissionalmente, casado, pai de duas meninas que amava, gostava muito da esposa, mas não podia mais suportar a contenção do desejo homoafetivo. Tampouco conseguia se contentar com a expressão esporádica, em saunas, de sua sexualidade mais prazerosa, o que constituía sua forma de vida dupla, além da eventual procura de vídeos homoeróticos. Ele sempre soubera de sua orientação sexual predominantemente homoafetiva, mas até então não tinha sentido a coragem de assumi-la, pois, para ele, isso significava desobedecer às expectativas do pai. Procurou a terapia como apoio para fazer a virada em direção a escolhas mais livres e autônomas. Uma das questões interessantes desse trabalho em psicoterapia breve foi que, com o correr das sessões, percebemos com clareza que, assim como ele não conseguia decidir-se pela vivência clara e plena da

DIALOGAR COM A ANSIEDADE

homoafetividade, tinha o mesmo tipo de atitude em diversas áreas da vida, sobretudo nas mais importantes. Ele precisava praticamente reaprender a se posicionar nas bifurcações da vida. O foco de nosso trabalho foi, então, a agressividade como valor, o desenvolvimento da capacidade agressiva, entendendo aqui, como Perls (2002), agressividade como capacidade de se mover em direção à satisfação de necessidades ou de desejos, não como violência ou base para a violência. Nesse atendimento, o desenvolvimento da agressividade foi o antídoto para o cálculo de riscos e a abertura para uma vida mais plena e atualizada – abertura que, para o cliente, acabou sendo apoiada, depois de uma série de dificuldades, pelas filhas e pela agora ex-esposa.

A conformidade cega é uma atitude que costuma aparecer em uma ou algumas áreas da vida, raramente tomando o todo da pessoa. Trata-se de uma atitude de submissão, quase sempre baseada na introjeção, que muitas vezes só tem saída através de uma depressão. Por um tempo considerável, a pessoa abdica de sua possibilidade de escolher e a delega a outro, evitando a ansiedade saudável proveniente da escolha e abrindo caminho para a ansiedade patológica e suas evitações. Um dos atendimentos mais tocantes que já realizei foi o de dona Alice (nome fictício), que aos 83 anos de idade me procurou por sugestão de seu médico para que eu a ajudasse a lidar com suas muitas doenças – de hipertensão a diabetes, de artrites limitadoras de movimentos a catarata limitadora do olhar. Na época eu devia estar na casa dos 30 e poucos anos e me questionei como poderia ser útil para aquela mulher com idade para ser minha avó. Bem apoiado pela supervisão, esperei, esperei para ver de fato de que ela precisava em terapia. Até que, lá pela terceira ou quarta sessão, ela me contou um segredo, algo que nunca revelara a ninguém em sua longa vida. Contou-me, quase sussurrando, como se deve contar um segredo, que muito menina tivera uma visão que a assustara muito e por bastante tempo e que só mais tarde ela compreendeu. Nessa visão, havia uma mulher majestosa, imponente, linda, imensa, com um manto, uma coroa de louros e olhar confiante, que levantava a mão direita na qual havia uma tocha iluminada e trazia na mão esquerda um livro, ou algo semelhante. Dona Alice chorou ao recordar, e me contou que ficou chocada quando, já quase adolescente, viu pela primeira vez uma foto da Estátua da Liberdade, de Nova York, e reconheceu ali a imagem que vira quando criança. Ela não podia contar isso a ninguém, pois ninguém acreditaria nela, e era ainda possível que achassem que estava enlouquecendo. Manteve isso como segredo por décadas, em abafada ansiedade, até que revelou corajosamente em uma sessão de terapia. Acolhi muito honrado e agradecido aquele segredo, que agora era vivido por ela com um delicado e importante tom místico, e lhe propus que pensássemos que sentido poderia ter aquela lembrança naquele momento que vivíamos. De novo sussurrando, dona Alice contou que nunca fora livre, mas que achava que ainda era tempo, no que concordei com grande confiança. A partir dali trabalhamos por mais uns poucos meses, nos quais ela foi ampliando sua liberdade através da desobediência a regras que a acompanharam e limitaram por muitos anos. Dois efeitos de sua liberdade foram mais marcantes, ambos com relação à família. Primeiro, ela libertou os filhos, que mesmo adultos ainda eram tratados como crianças por ela. Essa libertação foi notada e comemorada por eles, o que a incentivou a tentar outra libertação, mais difícil, mas que ela levou a cabo. Um dia, no almoço, encheu-se de coragem e disse ao marido: "A partir de hoje eu não faço mais seu prato! Você é capaz de escolher sozinho o que e quanto quer comer!" Ele se revoltou, saiu da mesa sem almoçar, brigou com ela, mas ela manteve sua escolha até que ele, também já bem entrado na velhice, teve de aprender a fazer o próprio prato. Dona Alice faleceu alguns anos depois, certamente com a alegria de ter conhecido a liberdade na prática.

A revolta como reação ao que deve ser motivo de obediência é algo que todo terapeuta de adolescente conhece, embora não se trate de uma atitude exclusiva de adolescentes. Essa revolta pode ser voltada para o mundo ou, pior, ser retrofletida em autoagressões abstratas ou concretas. É um tipo de comportamento bastante comum em pessoas de estilo profletor de personalidade, geralmente fruto de uma incapacidade ou dificuldade de se identificar, se afirmar e se comprometer, algo que tende a ser acompanhado por ansiedades patológicas intensas e sofridas. Em geral são atendimentos difíceis, carregados de ansiedades, seja pelo lado do cliente, seja pelo lado do terapeuta, pois pessoas revoltadas – sobretudo as repetidamente revoltadas – tendem a ter dificuldade com movimentos revolucionários como a terapia, por mais que precisem exatamente disso, uma oportunidade de transformar sua revolta em revolução, algo gerador de mudanças em si e no ambiente e também ampliador da possibilidade de compromissos. Tendem a ser atendimentos densos, complexos e delicados, praticamente impossíveis de ser sintetizados em uma vinheta aqui, como fiz com as outras duas formas de abdicação da autonomia.

Quando a pessoa consegue não se utilizar com frequência dessas três abdicações da autonomia, quando reduz em sua vida os deveres e os "deverias", amplia a probabilidade de se abrir para a possibilidade da desobediência, abrindo-se também para a possibilidade de se comprometer, de assumir compromissos responsáveis derivados de suas escolhas. Compromissos geradores de ansiedade saudável, ao contrário do dever, quase sempre associado a ansiedades patológicas. Entendo que o compromisso é fruto de decisões autônomas, de escolhas feitas de modo ponderado e com o concurso da própria sabedoria em busca do melhor caminho, ao passo que o dever é fruto da obediência acrítica ou da falta de possibilidades de escolha consciente. Quando alguém faz algo baseado nos "deverias", o faz com ressentimento e com pouca concentração – quem já não passou por situações assim, quando deve fazer determinada coisa e não percebe em si disponibilidade para tanto? Aquela atividade profissional interminável que é feita mecanicamente, o relatório de despesas gerado em meio a protestos mudos, o almoço quando a fome ainda não chegou. Tais situações são inevitáveis, mas é certo que, quanto em menor número, melhor, pois elas nos colocam, especialmente se repetidas, em contato com a ansiedade patológica. Por outro lado, quando conseguimos realizar tarefas com compromisso, ou seja, porque encontramos, através da integração, a possibilidade de dar sentido a elas, é notável como nos tornamos mais concentrados, mais harmônicos, vivendo, quando muito, a ansiedade saudável, a excitação do crescimento criativo, a possibilidade de brincar.

Nesses mais de 15 anos em que atendo com regularidade pessoas de vida consagrada, foram muitos os que chegaram ao meu consultório em obediência a uma ordem de seu bispo, de seu provincial ou de outro superior hierárquico, assim como inúmeros leigos chegam obedecendo sem discutir uma prescrição médica ou o encaminhamento de uma escola, no caso de adolescentes e crianças. Muitos superiores reconhecem os possíveis bons efeitos de um processo psicoterápico e, bem intencionados, o colocam como condição para a ordenação ou para determinada movimentação na vida religiosa, ou ainda como o fim

DIALOGAR COM A ANSIEDADE

de uma punição disciplinar ou mesmo como alternativa a uma punição mais grave. Isso é um erro, pois a psicoterapia não pode ser uma tarefa – ela tem uma característica bastante própria: só é eficaz quando há coragem ou sofrimento. E mais: é possível alguém frequentar a psicoterapia sem fazer psicoterapia. Esse é um problema para o qual os psicólogos conscienciosos ainda não encontramos solução. Deixar de atender? Não há como saber a princípio se esse ou aquele paciente irá para além da obediência e, como se diz no jargão da área, "entrará em terapia". Muitos conseguem fazer essa passagem e de fato fazem processos terapêuticos dignos do nome; mas vários cumprem obrigação: comparecem às sessões, falam do que viveram na semana ou outro assunto, às vezes até produzem bons relatórios, mas não se aventuram, não se arriscam a se conhecer melhor ao se expor a outro ser humano atento às suas potencialidades e sofrimentos. Em suma, não se entregam nem a si mesmos.

São inúmeras, no entanto, as histórias de indivíduos que vêm para a psicoterapia em obediência e acabam desobedecendo, ou seja, fazendo do processo terapêutico não algo para a família, a esposa ou o esposo, a Igreja ou outro meio justificado por/para algum fim heterônomo. Eles se encorajam para a exploração de si necessária para que esse trabalho verdadeiramente encontre sentido e se entregam aos acontecimentos das sessões em vez de tentar controlá-los.

Em outros termos, essas pessoas que "entram em terapia" aprendem a brincar. Nas palavras de Perls, Hefferline e Goodman (1997, p. 113),

especialmente em terapia, a deliberação costumeira, a factualidade, a falta de comprometimentos e a responsabilidade

ÊNIO BRITO PINTO

excessiva, traços da maioria dos adultos, são neuróticos; enquanto a espontaneidade, a imaginação, a seriedade, a jovialidade e a expressão direta do sentimento, traços das crianças, são saudáveis.

De maneira muito próxima, Winnicott (1971, p. 80) também levanta a importância de momentos de seriedade e compromisso infantis:

parece-me válido o princípio geral de que a psicoterapia é efetuada na superposição de duas áreas lúdicas, a do paciente e a do terapeuta. Se o terapeuta não pode brincar, então ele não se adapta ao trabalho. Se é o paciente que não pode, então algo precisa ser feito para ajudá-lo a tornar-se capaz de brincar, após o que a psicoterapia pode começar. O brincar é essencial porque nele o paciente manifesta sua criatividade.

O brincar de que falam os dois autores é um ato de liberdade, é a possibilidade de entrega ao jogo da vida a cada sessão, como a criança se entrega concentradamente às brincadeiras que faz sozinha ou com amigos. É o tempo de Aión, como veremos adiante. Brincar aqui, é importante lembrar, é diferente de disputar, na medida em que é entrega, desfrute, não competição ou jogo.

Um dos cuidados mais relevantes do psicoterapeuta no que diz respeito à obediência é o de não deixar que o trabalho se torne uma lição feita para agradar o terapeuta ou alguém do mundo cotidiano do cliente. Muitas pessoas desenvolvem uma bem treinada capacidade de retrofletir exageradamente, de viver mais fundamentadas em escrúpulos que em entregas, mais em

DIALOGAR COM A ANSIEDADE

conscienciosidade que em desfrute. Essas pessoas precisam de momentos, às vezes sessões inteiras, de *laissez-aller*, distantes de um clima de seriedade que "deveria" caracterizar um tratamento. Precisam também da possibilidade de fruição do vivido sem finalidade ou apego a regras. São momentos de brincar que abrem espaço para a surpresa, ou seja, para uma nova configuração de si através da relação dialógica, fruto também da vivência (às vezes até da descoberta) de um tipo de criatividade infantil que é extremamente saudável, como salientaram os dois dissidentes da psicanálise clássica. Tal criatividade surge da retomada da capacidade, em geral abandonada na infância, de espanto e encantamento diante da novidade. Esses momentos são cruciais para a transformação da ansiedade patológica em saudável.

Enfim, para fechar o tema da obediência e me voltar para a questão da liberdade sob outro prisma, quero deixar claro que não estou simplesmente defendendo a desobediência, mas sua possibilidade, pois isso abre as portas e as janelas tanto para a obediência quanto para a desobediência críticas, colaborativas, presentes, fruto da boa confluência de valores, de ideais e de compromissos, fruto da liberdade.

Provavelmente quem mais se interessou e mais refletiu sobre o encontro entre ansiedade e liberdade foi Kierkegaard (*apud* May, 1987, p. 225), para quem a primeira é a "vertigem" da segunda. De acordo com Kierkegaard, a liberdade é fundamental para o desenvolvimento da personalidade, assim como a autonomia – a qual deriva da liberdade – o é para a psicologia fenomenológico- -humanista. Entre os autores humanistas da psicologia, talvez o que tenha mais se dedicado ao tema da liberdade tenha sido Rollo May, um estudioso de Kierkegaard. Antes de finalizar este tópico, vou comentar alguns ensinamentos de May sobre os encontros entre a liberdade e a ansiedade, ensinamentos que são preciosos para a psicoterapia.

May (1977, p. 75) explica que Kierkegaard colocava como quesito de saúde emocional questões que hoje são muito discutidas, como a ideia de que a saúde depende da aliança de cada um entre a própria liberdade como indivíduo e a participação comunitária. Nesse aspecto, para o filósofo, a liberdade individual não seria apenas a liberdade ante restrições e limites, mas a possibilidade de escolha e de responsabilização por elas. Além disso, essa liberdade deveria "se distinguir da pseudoliberdade vazia e mecânica do participante típico em nossas modernas rotinas comerciais e industriais burguesas". Essa escolha e responsabilização devem vir de uma expansão da consciência, e é "por isso que Kierkegaard sustentou que a *liberdade envolve sempre uma ansiedade potencial*".

A ansiedade patológica era compreendida por Kierkegaard como certo cerceamento interior causado pelo medo da liberdade. Tal cerceamento diz respeito à experiência e à conscientização. O termo que Kierkegaard usava para neurose era "hermetismo". "A pessoa hermética não se fecha *consigo mesma*; ela fecha-se a si mesma e aos outros". Essa colocação se aproxima muito da ideia gestáltica de que a ansiedade favorece evitações e impasses, pois o resultado da maioria dessas evitações é um fechamento à vida, um fechamento aos riscos, sobretudo ao risco de fazer escolhas com liberdade.

Comentando o desenvolvimento pessoal do útero até a morte, May coloca a liberdade como fator fundamental nesse processo, pois o bebê já nasce com liberdade de movimento e depois vai ampliando essa possibilidade concreta e simbolicamente por meio de "saltos" desenvolvimentais. Ele continua:

"Todos esses 'saltos' do nascimento em diante, esses eventos em que a criança se diferencia dos pais, podem ser considerados como experiências de renascimento psicológico. Por isso, são criadores de ansiedade, assim como desafiantes". De fato, à medida em que nos desenvolvemos, uma das nossas conquistas é a ampliação da responsabilidade, pois, como bem afirma Perls (1997), o amadurecimento é "um processo contínuo de transcender o suporte ambiental e desenvolver o autossuporte, o que significa uma redução crescente das dependências".

O amadurecimento, segundo essa visão – a qual adoto –, é um fenômeno baseado na passagem de uma dependência quase absoluta em relação ao ambiente para uma independência relativa, uma vez que a independência absoluta não é humanamente exequível. Com base nisso, podemos também dizer que o desenvolvimento humano é caracterizado pela passagem da heteronomia absoluta para a relativa, o que implica, no meu modo de ver, uma ampliação da capacidade de simbolização, de liberdade e da consequente responsabilidade à medida que a pessoa amadurece. Tal ampliação da responsabilidade e da liberdade cresce sobremaneira na adolescência, passagem cultural pela qual a pessoa amplia, de forma muitas vezes penosa, suas possibilidades de movimento existencial. "Experimenta-se a 'possibilidade alarmante de ser capaz', como diz Kierkegaard. Ir para a universidade, casar-se, ganhar a vida, mudar-se para outra cidade – tudo isso pode ser considerado como aumentos no âmbito de liberdade da pessoa" (May, 1987, p. 85).

O desenvolvimento é um processo de ampliação da liberdade, de ampliação de possibilidades; portanto, não se dá sem ansiedade, dado que ansiedade e liberdade são inseparáveis – ou, no dizer Kierkegaard, "a ansiedade é a realidade da liberdade

ÊNIO BRITO PINTO

como uma potencialidade, antes que essa liberdade seja concretizada" (*apud* May, 1987, p. 226).

Uma das questões mais interessantes do processo de desenvolvimento humano é o fato de que ele se dá em meio a incertezas e esperanças, pois estamos sempre a lidar com possibilidades e não temos nenhuma garantia de que estas se realizarão. Isso exige grande liberdade ante cada passo dado, pois de certa maneira caminhamos no escuro; trata-se de uma aposta, de forma que o processo é marcado por uma ansiedade, saudável ou patológica, a depender de como é vivido. Quem garante que a escolha profissional feita na adolescência será confirmada na idade madura? Quem garante que o casamento durará tanto quanto se espera? E quem garante que ele será feliz? Quem garante que este é o melhor emprego? Quem garante que serei bom pai, ou boa mãe? Quem garante que não me arrependerei de escolhas feitas? Não temos garantia nenhuma de nossos passos na trilha do desenvolvimento, e talvez essa seja uma das maiores belezas da vida. Ao mesmo tempo, se não temos liberdade, essa beleza também pode ser um dos maiores infernos de nossa vida. Porque é a liberdade que possibilita a confiança no passo a ser dado e, no caso de fracasso ou erro, o perdão e a correção. Quem não tem liberdade não conhece o perdão.

Fascinante e valorizada em nossa cultura, a liberdade é, paradoxalmente, assustadora, em virtude dessa falta de garantias que é parte de nossa existência. É desejada e buscada, mas pode ser penosa quando alcançada – por isso muitos abdicam dela. Parte significativa da procura de psicoterapia é feita por pessoas que sentem que podem ser mais livres, mas não sabem como. Grande parte dos temas discutidos e vividos em terapia tem relação com a liberdade, seja com a busca dela ou com seu temor. De fato, a

DIALOGAR COM A ANSIEDADE

terapia é um meio de alcançar maior liberdade e, quando é bem-sucedida, isso se dá também por meio de maior responsabilidade. May (1977, p. 90) faz um alerta importante no que diz respeito ao diálogo da terapia com a liberdade, quando afirma que o objetivo da terapia não é libertar a pessoa da ansiedade, mas ajudá-la a transformar a ansiedade neurótica, patológica, em ansiedade normal e a fazer frente a esta, pois "o eu torna-se mais integrado e mais forte à medida que as experiências com ansiedade normal são enfrentadas com êxito". Para alcançar essa possibilidade, May (1987, p. 35) tem uma proposta que endosso:

> proponho que o propósito da psicoterapia seja o de libertar as pessoas. Libertar, na medida do possível, de sintomas, quer sejam psicossomáticos, como úlcera, ou psicológicos, como timidez aguda. Libertar de compulsões, outra vez tanto quanto possível, de serem viciadas em trabalho, compulsões de repetir hábitos frustrantes que aprenderam na primeira infância, ou compulsões de escolher permanentemente parceiros [...] que causam permanente infelicidade e permanente punição.

Essa lista de possíveis libertações de May pode ser bastante ampliada, pois são muitas as prisões em que, no processo de desenvolvimento, nos encarceramos para não enfrentar a ansiedade. E são muitas as prisões que nosso campo nos oferece com persuasivos e tentadores estímulos.

Todo terapeuta tem histórias de libertações vividas por e com seus clientes, muitas delas inesquecíveis. E cada terapeuta mais experiente tem também histórias de prisões inexpugnáveis que desafiam os mais corajosos esforços terapêuticos. Mas as histórias mais comuns são aquelas de pessoas que conseguem libertações em várias áreas da vida, mas por anos e anos não ousam libertar-se de certas correntes. Aliás, quem não conhece isso em si? Cada um de nós tem seu pântano que precisa de uma vida inteira para secar – quando seca.

Uma das terapias mais longas que tive foi um bom exemplo disso. A cliente, profissional liberal que me procurou quando ainda fazia faculdade, trazia inúmeros aprisionamentos como queixa e uma síndrome do pânico como sintoma. Ingênua, de estilo rigidamente confluente, era vítima de *bullying* no trabalho e de abusos por parte de seu pai, um pesado abusador. Não abusador sexual, mas abusador de confiança, um sequestrador da autoestima da filha. Ela lutava para se libertar, mas só conseguia ampliar seu pânico. Quantas histórias de sofrimento ouvi dessa moça! Quanto torci para que ela conseguisse se libertar nesse campo da vida como se libertara dos *bullyings* profissionais e de outras prisões significativas! Em várias áreas ela fez bonitos enfrentamentos e expressivas conquistas. Porém, nas relações com o pai, com o irmão e com os eventuais namorados, o aprisionamento em um roteiro de sofrimento e de abuso era invencível, por mais que nos esforçássemos na busca das chaves desse cadeado tão antigo e emperrado. Foi um longo e duro trabalho, em grande parte do tempo com auxílio da psiquiatria, até que um dia ela se cansou, preferiu se conformar e deixou a terapia. Eu via tanto potencial nela, que talvez esse tenha sido um dos meus mais frustrantes fracassos terapêuticos, ainda que ela tivesse alcançado sucesso em áreas importantes da vida.

A liberdade tem estes paradoxos: é desejada e temida, é vitória contra ansiedades e raiz de novas ansiedades, é horizonte, não é meta.

DIALOGAR COM A ANSIEDADE

Em geral, a liberdade e a ansiedade encontram uma dileta companhia, a criatividade, pois com cada nova ideia que a liberdade nos traz vem equivalente carga de ansiedade. No próximo capítulo, tecerei algumas considerações sobre o inevitável encontro da criatividade com a ansiedade.

5. Criatividade e ansiedade

"Quanto mais possibilidades criadoras o homem tiver, como indivíduo, maior será a sua ansiedade potencial."

(MAY, 1977, P. 75)

COMO VIMOS, AS pessoas criativas são mais sujeitas a vivências de ansiedade, embora para o leigo isso possa soar estranho. É comum imaginar o contrário, mas o fato é que entre os custos da criatividade está o incremento da ansiedade fundamentado na maior capacidade de consciência pessoal e social. Ajustamentos criativos – a "transição sempre renovada entre a novidade e a rotina que resulta em assimilação e crescimento" (Perls, Hefferline e Goodman, 1997, p. 45) – são encontros com o novo e exigem novos cuidados, os quais, por sua vez, são despertados pela ansiedade saudável.

Para a Gestalt-terapia, a criatividade é condição básica de vida saudável, como frisa Ciornai (1994, p. 11):

em Gestalt-terapia, funcionamento saudável é literalmente equacionado como funcionamento criativo, como a habilidade de estabelecer contatos frescos e criativos com o que for que a pessoa esteja se relacionando, como a habilidade de gerar e manter fluxos de consciência que possam conduzir a soluções satisfatórias e criativas em nossas vidas. Uma característica que identifica os seres humanos. Criatividade é, portanto, um processo da vida.

Para Zinker (2007), a criatividade é a realização do que é urgente, do que exige ser anunciado. É a forma intrínseca de o homem ampliar seus limites e promover mudanças em sua vida. Para Perls, Hefferline e Goodman (1997, p. 91), a criatividade faz parte da natureza humana: "A autocriação, o ajustamento criativo em circunstâncias diversas, tem ocorrido desde o começo, não completamente como um 'condicionamento' extrínseco que pode ser 'descondicionado', mas principalmente como crescimento verdadeiro".

Quando Perls, Hefferline e Goodman (1997, p. 45) refletem sobre a interface entre a ansiedade e a criatividade, eu me encontro em um movimento de discordância e de concordância. Isso porque os autores afirmam que a ansiedade é "fator preponderante na neurose, como consequência da interrupção do excitamento do crescimento criativo (com a falta de fôlego que a acompanha)". Discordo porque penso que falta à Gestalt-terapia, e especialmente a Perls, a visão da ansiedade como saudável ou patológica, a depender da situação, o que acaba por provocar o entendimento da ansiedade como sempre patológica – o que não é verdade, como já mostrei inúmeras vezes ao longo deste texto. Concordo porque de fato a ansiedade patológica, praticamente a única existente para o seu olhar, de fato pode emergir como consequência da fuga à criatividade, fuga que se dá porque a criatividade é desestabilizadora, porque ela busca e gera inseguranças.

Na realidade, cada um de nós tem movimentos de busca e de fuga da criatividade. Penso que não seria suportável lidar com a criatividade todo o tempo. Então, desenvolvemos padrões que nos deixam mais confortáveis para lidar com determinadas situações, ao mesmo tempo que precisamos quebrá-los eventualmente para não nos anestesiarmos. Não seria suportável lidar com repetições todo o tempo. Em meio a esse paradoxo, emerge a criatividade como caminho para criar, para inovar

DIALOGAR COM A ANSIEDADE

preservando o antigo, compondo um processo de autorregulação indispensável para uma existência suficientemente saudável. Segundo Goldstein (2000, p. 239),

a pessoa criativa que se aventura em muitas situações que a expõem a embates se verá ainda mais frequentemente em situações de ansiedade que a pessoa mediana. As pessoas diferem em quanta ansiedade podem tolerar. Para o paciente com danos cerebrais, a porção é baixa, para a criança, grande, e para os indivíduos criativos, imensa.

É curioso perguntar: por que a capacidade de tolerar ansiedade é imensa para o indivíduo criativo? Que relação é essa? Não conheço nenhum texto em que Goldstein tenha desenvolvido essa ideia. Minha hipótese mais confiável deriva de observações que faço de pessoas criativas e de momentos criativos que já vivi. Penso que a criatividade gera sobretudo quatro reações. Primeiro, ela gera algo que é vivido como um desafio, um desejo de realizar determinada transformação mesmo que seja necessário enfrentar o ambiente, como a criança enfrenta a mãe excessivamente ansiosa que não a deixa explorar o mundo. Segundo, a criatividade exige expressão, não se contenta em ser potencial, embora possa suportar, por algum tempo e não sem dor, adiamentos e até mesmo postergações. Mas uma hora ela se impõe. Terceiro, ao se impor, a criatividade traz risco, e a pessoa criativa vai desde muito cedo aprendendo a correr determinados riscos, com os acertos e erros inerentes a essa aprendizagem. Isso se dá porque a criatividade é potencial humano que desde cedo precisa realizar-se, e tem sua primeira realização na própria percepção e aceitação de si – isto é, a criatividade precisa ser aceita pela pessoa desde muito cedo. Assim, acredito que o indivíduo criativo é aquele que, com o apoio de seu ambiente, logo descobriu como é bom ser criativo, ainda que o ato criativo não seja só prazeroso. Quarto, o gesto criativo, assim como o ajustamento criativo, é fruto de excitação ao mesmo tempo que a alimenta. Não se trata de uma excitação imediatista como aquela gerada por certas drogas, mas daquela que saboreia mais o processo que o resultado, ainda que este também seja bem saboreado. A criatividade tem excitação e paciência (ainda que limitada): é um alimento agridoce.

Uma das funções da criatividade é paradoxal, pois com ela as pessoas dialogam com a ansiedade e entram em contato com o novo para criar seguranças nas quais se apoiar e aliviar a ansiedade, num movimento de constante renovação baseada na preservação de parte do antigo. A cultura é criada assim, novos valores se apoiando e, ao mesmo tempo, transformando antigos valores em busca de formas mais confiáveis de coexistência.

Nesse processo, há uma íntima relação entre a personalidade criadora e a exposição frequente a situações de ansiedade. Para Goldstein (2000, p. 240), "as pessoas que aceitam o desafio e o risco lançando-se às experiências colhem os resultados, enquanto as que se sentem temerosas, que evitam expor-se, mantêm uma atitude defensiva de autoproteção, fugindo das situações que geram ansiedade". Segundo Zinker, (2007, p. 12), que define a criatividade como um ato de valentia, a pessoa criativa acaba por estabelecer para si uma disponibilidade para se arriscar de forma especial, como se dissesse: "Estou disposto a arriscar-me ao ridículo e ao fracasso para experimentar este dia com novidade e frescor. Aquele que se atreve a criar, a transpor limites, não só participa de um milagre, mas chega a descobrir que, em seu processo de ser, ele é um milagre".

DIALOGAR COM A ANSIEDADE

Para a maioria dos seres humanos, a busca da terapia é um movimento de enfrentamento de ansiedades e, só por isso, implica o incremento da criatividade e da ampliação da percepção desse milagre de que fala Zinker. Aquelas pessoas – tantas! – que não conseguem procurar terapia quando dela necessitam são as que mais temem a própria criatividade, talvez por seu poder de desalojar supostas certezas. Mais rígidas e mais próximas da ansiedade patológica, tais pessoas se desperdiçam, desperdiçam potenciais, de forma um pouco mais grave, embora semelhante, àquelas que não se desgrudam do celular e, com isso, evitam contatos e encontros nutritivos de pessoa a pessoa.

Uma das fronteiras em que mais encontramos o diálogo entre a criatividade e a ansiedade é a fronteira de valores, dado que a transformação de valores depende de criatividade e de coragem para assumir riscos. Quando a pessoa consegue fazer frente a esses riscos, quando ousa mudar padrões, pode viver certo isolamento social inicial, até mesmo certa rejeição de algum grupo, pois os grupos são ambivalentes, como veremos a seguir. No entanto, como bem aponta May (1977, p. 76), "só se obtém a individuação desde que se avance, apesar do conflito, da culpa, do isolamento e da ansiedade. Se a pessoa não avançar, o resultado será, em última instância, a *ansiedade neurótica*".

No avançar que a criatividade impõe, de certa forma, só aparentemente há escolha. No processo de autoatualização é impossível escolher não nos atualizar, exceto a um custo muito alto: a estagnação e o adoecimento. A autoatualização se impõe, e se impõe mais fortemente para os mais criativos, como se fosse uma espécie de processo de seleção natural no qual os mais aptos são chamados a abrir caminhos.

Certa vez vi uma charge que me encantou porque, no meu modo de ver, descrevia o processo da criatividade e sua imperatividade. A cena mostra a sala de um psicanalista, inclusive com divã, no qual há uma cobra deitada como paciente e, atrás do móvel, um analista, caneta em punho. No chão, a pele da cobra. Olhando para essa pele, o animal exclama: "Vê? Justo quando eu estava me acostumando, isso acontece!" Assim como a cobra não escolhe trocar regularmente de pele, assim como ela tem de conviver com isso a cada ciclo, também a pessoa criativa não consegue escapar da necessidade de criar; assim como a cobra vive momentos de maior sensibilidade cutânea depois da troca, também a pessoa criativa vive um incremento da ansiedade até o ato criativo e um pouco depois dele; assim como a cobra absorve no devido tempo sua nova estrutura, o indivíduo criativo cresce com o apoio dos atos criativos, dos potenciais que se realizam.

A criatividade é transformadora, desalojadora de comodidades e de seguranças previamente adquiridas, busca o novo – na verdade, gera como que uma necessidade de busca do novo, da renovação do conhecido, de originalidade. Com isso, ela estimula a abertura para a aventura e, por conseguinte, para o risco. A criatividade provoca a aproximação da ansiedade e, ao mesmo tempo, a capacidade de vencer as ameaças ansiogênicas com espontaneidade, crescimento, construtividade e trabalho. Isso porque o ser criativo vive situações ameaçadoras mais como desafio que como obstáculo, e se lança com cuidado à experiência do novo; em geral, colhe resultados melhores que aquelas que, temerosas, evitam expor-se, autoprotegem-se de maneira exageradamente defensiva, não cuidadosa, evitando as situações provocadoras de ansiedade.

DIALOGAR COM A ANSIEDADE

É importante para mim deixar claro o que estava implícito até aqui. Criar não é só fazer uma obra de arte ou uma revolução na cultura. Criar é algo que acontece no cotidiano, em pequenos passos, por meio de mudanças sutis. Os principais frutos da criatividade muitas vezes nem são percebidos ou valorizados à altura, e por isso devem ser saboreados com humildade e gratidão, como pequenos pedaços de ambrosia ofertados pelos deuses olímpicos. Criativa não é só a poesia de Adélia Prado, mas é também a solidariedade com a vizinha; não é só o quadro de Portinari, mas o olhar encorajador para o aluno; não é só o restauro delicado de histórica porcelana, mas admiração com o voo azul da andorinha; não é só a arte sacra, mas a própria sacralização da vida.

Quando se busca evitar o risco de mudanças provocado pela criatividade, o caminho mais fácil costuma ser o amortecimento de si, a negação da possibilidade de mudança que a criatividade traz, de certa desvitalização, a qual pode se apoiar na necessidade grupal da previsibilidade. De fato, para que um grupo se constitua, ele precisa de uma boa margem de previsibilidade de seus membros; deve sentir-se protegido de ameaças internas (até mais do que das externas), a fim de conseguir a coesão que o sustenta. Essa coesão caminha no fio da navalha, dado que também se alimenta do imprevisto, com o qual se protege da monotonia desintegradora. Esse ritmo entre mudança criativa e permanência asseguradora que percebemos em grupos e em indivíduos produz ansiedade. Esta, quando bem suportada, leva à alegria de superar obstáculos e dificuldades por meio de um contínuo jogo de mudanças apoiadas na permanência. Em outros termos: são mais eficazes, criativas e duradouras as mudanças que, derivadas do enfrentamento da ansiedade, trazem novidades que se ajustam ao antigo e o transformam, como a criança se transforma no adolescente sem perder a capacidade de brincar, o adolescente saudável se transforma em adulto sem perder a jovialidade, o adulto se transforma em idoso sem perder a vitalidade existencial. Essas passagens exigem o enfrentamento da ansiedade para que sejam criativas; demandam que o excitamento do crescimento criativo seja vivido com coragem e respiração o mais plena possível. O excitamento a que me refiro é aquele que, segundo May (1987, p. 229),

> nos proporciona o espírito de busca, nos mantém em crescimento. Possui um evidente valor de sobrevivência. Permanece excitamento enquanto eu sinto que posso controlar, que posso conservar algum senso de autonomia. Torna-se destrutivo quando isso não é mais possível. Portanto, enquanto podemos experimentar o "eu posso" e "eu vou", permanecemos abertos, experimentamos a nossa liberdade, preservamos o poder de experimentar novas possibilidades.

Esse jogo em que o novo se apoia no antigo, no tradicional, para renová-lo ao mesmo tempo que o faz permanecer é um jogo delicado na vida social, geralmente mais afeita à tradição. No indivíduo, quando pensamos em psicologia da personalidade, é o jogo entre estrutura e processo. Todos temos uma estrutura de personalidade que é tão mais flexível quanto mais saudável é a pessoa. Essa estrutura flexível é transformada pelos processos que vivemos no cotidiano a partir das provocações que as nossas necessidades e as necessidades comunitárias fazem à nossa criatividade. Nesses anos de atendimento em psicoterapia, foram muitos os ajustamentos criativos que testemunhei, com os mais

DIALOGAR COM A ANSIEDADE

diferentes resultados, todos geradores de ansiedade que a terapia ajudou a enfrentar.

Como exemplo aqui, um bom ajustamento criativo de um homem de 48 anos que atendi em psicoterapia breve. Ele me procurou queixando-se de dificuldade de fazer escolhas, pois tentava agradar a todo mundo, o que obviamente é impossível. Fizemos algumas sessões e logo interrompemos o trabalho para o período de férias de fim de ano. Ao fim dessa etapa do trabalho, minha sensação era de que a terapia não ia bem; o paciente parecia não ter suficiente motivação para ela. Quando retornamos das férias, ele estava bem diferente, a ponto de eu anotar em meus apontamentos: "Espantei-me na volta do Gabriel (nome fictício) com sua disposição para o trabalho. Ele traz novo ânimo, se aprofunda nos temas, mesmo mantendo sua retroflexão. Devagar, vai ampliando seu grau de risco e de conforto na terapia, a ponto de até se sentar mais à vontade na poltrona". Com essa ampliação da qualidade do contato e da presença, aumenta também a possibilidade da criatividade e, assim, algumas ansiedades são enfrentadas. Meus apontamentos: "trabalhamos sua infância de menino solitário, temporão de uma família grande e de mãe religiosa e doente. Relata a falta de intimidade na família e, a meu pedido, faz uma pequena autobiografia. Quando comentamos sobre sua infância, ele tira um pesado fantasma dos ombros: tratava as fantasias infantis como sinais de loucura e ficou tremendamente aliviado quando eu as abordei como apenas fantasias, maneiras criativas e saudáveis de um menino solitário brincar. Do jeito que ele se via, parecia que o brincar era sinal de doença, como se imaginar jogos de futebol, conquistas de faroeste e coisas que tais ao brincar sozinho no quintal espaçoso da casa fosse sinal de demência. Impressiona-me o alívio que

Gabriel sente quando abordo seu brincar como construção do mundo, como lida criativa com a ansiedade e a solidão". Ao descobrir o criativo que não aceitava por temer que ele indicasse adoecimento mental, ao validá-lo como força para a lida com a vida, o cliente conseguiu explorar melhor esse aspecto de si e colocá-lo a serviço do mundo, sentindo-se, assim, mais fortalecido para fazer escolhas e enfrentar esperadas retaliações de seus colegas de trabalho – os quais, como todos os humanos em situação de grupo, prefeririam que ele permanecesse previsível como antes. Como Gabriel manteve a força de suas mudanças e de sua autonomia ampliada, logo os de seu grupo também fizeram mudanças, e o grupo se viu renovado depois de algum tempo e de alguns confrontos.

Como Gabriel, muitos anestesiam sua criatividade por meio do chamado medo da loucura ou de vergonha excessiva. É função da terapia criativa ajudá-los a compreender que cada um de nós tem um *self* louco, que não é dominante mas é importante, que precisa de expressão – afinal, o que seria do rei se não fosse o seu bobo da corte?

Infelizmente, estamos em um momento social que traz um grande risco a esse bobo da corte, pois me parece que ele anda cada vez mais inibido, não mais somente por uma moral que exigia excessiva previsibilidade, mas agora também por uma moral psicopatológica, a qual, tal como a outra, não reconhece o efeito terapêutico de boas e loucas gargalhadas fora do teatro. Esse é o assunto de nosso próximo capítulo, no qual criticarei com esperança a forma como estamos tratando os sofrimentos existenciais.

6. A ansiedade, os sofrimentos emocionais contemporâneos e os sentimentos

> *"O sofrimento e o conflito não são sem sentido ou desnecessários: eles assinalam a destruição que ocorre em toda formação figura/fundo para que nova figura possa emergir."*
>
> (PERLS, HEFFERLINE E GOODMAN, 1997, P. 62)

NA HISTÓRIA DA humanidade, provavelmente um dos mais antigos recursos para a lida com os sofrimentos existenciais foi a religião. De fato, o estudioso da religião sabe que o surgimento das manifestações religiosas na história humana tem relação próxima com o sofrimento, sobretudo com a impossibilidade de se responder com certeza às perguntas sobre de onde viemos e para onde vamos – se é que viemos de algum lugar e vamos para algum lugar após a morte.

Esta que é a mais instigante ansiedade humana, o fato de termos consciência da morte, provavelmente é também a origem das religiões, o que nos permite afirmar que a religião surge como maneira de o ser humano lidar com os mistérios da vida. Com isso, uma de suas finalidades é propiciar sentido para a existência como um todo e, em particular, para os sofrimentos humanos. E, para cumprir tal finalidade, a religião acaba por determinar uma conduta moral a praticamente todos os campos da vida, em todas as culturas conhecidas. Não estou me referindo aqui a determinada cultura ou a determinada religião, mas a um movimento universal na história humana, um movimento que, se apresenta variações culturais e de época, apresenta também semelhanças que independem de ambas – e é dessas bases imutáveis que trato aqui e por enquanto. Assim, uma das funções da religião é dar aos seres humanos normas sobre a vida, regras, leis sobre como deve ser o comportamento das pessoas (por exemplo, os dez mandamentos). No princípio da história da humanidade, e até muito recentemente, era papel exclusivo da religião regulamentar o comportamento humano e dar bases para a vivência e a compreensão dos sofrimentos existenciais. Por isso, quase todos os nossos costumes têm origem em algum código moral estabelecido por determinada religião em algum momento da história.

Por um longo período, a cultura ocidental valeu-se exclusivamente da religião para fornecer maneiras de compreender e de lidar com os sofrimentos existenciais humanos, até que, a partir da Idade Média, e sobretudo após a Revolução Industrial, com a secularização do mundo, ampliou-se o referencial cultural, num processo que é conhecido como secularização da cultura.

Em linguagem eclesiástica, "secular" quer dizer profano, mundano, relativo ao mundo – ou seja, desmagizado. Do ponto de vista mais comumente aceito hoje, cuja origem remonta a Max Weber, a secularização é um processo que marca a ruptura entre as sociedades tradicional e moderna e se dá por meio da ampliação das matrizes de valor, descentralizando a religião e ampliando o espaço da racionalidade técnico-científica. Assim, o processo de secularização do Ocidente é muito bem sintetizado nas expressões "desmagização do mundo" ou "desencantamento do mundo" (*Entzauberung der Welt*), a substituição dos meios mágicos de compreensão do mundo pela técnica e pela

DIALOGAR COM A ANSIEDADE

racionalidade. A secularização marca uma ampliação das instâncias que conferem sentido ao real, tarefa praticamente exclusiva da religião até então. Esse desencantamento tem, fundamentalmente, três eixos: diferenciação, racionalização e mundanização. A diferenciação permitiu ao homem ocidental o princípio mais básico da laicidade: a separação da religião de outras instituições, como a política e a economia. A racionalização diz respeito sobretudo à esfera dos valores, os quais caminham de outorgados a refletidos e relativamente independentes de orientação e controle religioso – ambos tomados pouco a pouco pela ciência, como veremos a seguir. Tanto a diferenciação quanto a racionalização levam a uma desmitologização da cultura e "acabam por fazer com que a religião se torne mais mundana, demarcando o processo de mundanização" (Paiva, 2000, p. 46).

Dessa forma, embora a religião ainda seja fonte importante de subsídios para posicionamentos diante da vida, a ciência divide com ela, com cada vez mais força, a base de sustentação ideológica humana ao longo da vida. A secularização amplia, assim, as instâncias que conferem sentido ao real e dão suporte à lida com os sofrimentos existenciais e afeta toda a vida cultural, fazendo declinar os conteúdos religiosos em todas as áreas, sendo marcada principalmente pela ascensão da ciência, com sua visão autônoma e secular do mundo.

No processo de competição entre ciência e religião no que diz respeito à regulação moral, a área da assim chamada saúde mental é um dos campos da ciência mais importantes hoje para que as pessoas do mundo ocidental tenham referenciais para avaliar o vivido e para lidar com os sofrimentos. Essa área está tão expressiva em nossos tempos que corre o risco de extrapolar suas competências, como, aliás, já previa o movimento da antipsiquiatria nos

111

ÊNIO BRITO PINTO

anos 1960 – o que fica claro nesta reflexão de Thomas Szasz compilada por Holanda (2011, p. 117):

> Psiquiatria é a negação da realidade da vontade própria e da trágica natureza da vida; esta negação legitimada permite àqueles que procuram uma explicação neuromitológica para a maldade humana e que rejeitam a inevitabilidade da responsabilidade pessoal tornar a vida um caso clínico e confiar sua administração aos profissionais de saúde. [...] Os psiquiatras e seus poderosos aliados conseguiram, então, persuadir a comunidade científica, os tribunais, os meios de comunicação e o público em geral que as condições que eles chamam de "distúrbios mentais" são doenças – isto é, fenômenos independentes da motivação ou vontade humanas.

De fato, hoje vivemos em nossa cultura certa moral psiquiátrica/psicológica – na verdade psicopatológica –, a qual gera, aos poucos, uma excessiva psicopatologização da vida, certa desnaturalização do sofrimento paralela à naturalização da medicação, num movimento que traz o risco de termos um número cada vez maior de pessoas dependentes de medicações psiquiátricas e/ou de orientações de especialistas e, por isso, de certa forma incapacitadas para conhecer e desenvolver as próprias forças para lidar com a vida e seus sofrimentos.

Quero aqui lançar um olhar crítico e esperançoso para esse fenômeno, enfatizando como ele afeta a compreensão da ansiedade em nossos tempos. Não criticarei especialmente os medicamentos e os diagnósticos psicopatológicos, mas a forma como são usados, pois entendo que, paradoxalmente, ao menos parte dessa excessiva psicopatologização do cotidiano e ao menos

DIALOGAR COM A ANSIEDADE

parte desse moralismo psicopatológico derivam da eficácia dos medicamentos e dos diagnósticos de que dispomos hoje. Quero deixar claro o que entendo por moralismo psicopatológico. A palavra moral deriva do latim *mos* (*mores*, no plural), que significa *costumes*. Assim, quando falamos em moral, estamos falando em costumes e valores de determinada população, os quais são sempre marcados e configurados pela época e pela situação vivida por aquela cultura. Ao compor a moral, esses costumes e valores são socialmente aceitos e cumpridos pela maioria das pessoas, norteando sua vida, seu comportamento e seu modo de pensar e avaliar a realidade. Muito aos poucos, como continuação e decorrência do processo de secularização a que já me referi, e com a acentuação do ritmo desse processo a partir do fim do século 20, a moral do mundo ocidental foi sofrendo influência cada vez maior da medicina e de ciências próximas a ela, como a psicologia, além, é claro, da área da economia. Com isso, as referências das pessoas para avaliar seus sofrimentos e suas ansiedades migram da religião para a ciência, do sagrado para o profano, do pecado para a norma, do comunitário para o individualismo, do padecimento para o adoecimento.

Essa regulação moral científica, médico-psicológica, em sua vertente ligada à assim chamada saúde mental, toma corpo na cultura ocidental sobretudo a partir de Freud e da psicanálise, crescendo exponencialmente depois de finda a Segunda Guerra Mundial, por meio da ampliação dos conhecimentos psicoterapêuticos e de um maior desenvolvimento dos conhecimentos neurológicos e, por extensão, da psicofarmacologia. O conceito de saúde mental se populariza, referenciais existenciais são tomados por ele de tal forma que a norma médica psicopatológica praticamente suprime outros referenciais, negando aqueles que

ÊNIO BRITO PINTO

diziam respeito à lida com o trágico da vida, com a vontade, com os ideais humanitários e comunitários, com as diferenças de concepção de universo. Há uma psicopatologização do cotidiano. Há também uma associação com fatores econômicos que colocam o consumo e o trabalho sem limites como grandes metas da vida, a medida da felicidade, de forma que o valor pessoal e a autoestima acabam medidos a partir da possibilidade do consumo ou de trabalho excessivo, gerando um novo tipo de sofrimento que afeta a saúde existencial, com destaque para a ansiedade e a depressão. Esse novo tipo de sofrimento está correlacionado com um autoapoio e um apoio ambiental fragilizados, que, como vimos, é fortemente impulsionado pela cultura. A psicopatologização do cotidiano colabora para a restrição do olhar crítico diante dessa ideologia consumista e acelerada, entre outros motivos porque o consumo de psicofármacos é uma das engrenagens da roda financeira mundial ao mesmo tempo que amortece possíveis e revolucionárias indignações éticas.

Essa psicopatologização do cotidiano, como seria de esperar, traz ganhos e perdas. De um lado, intensos sofrimentos emocionais, antes insuportáveis, hoje podem ser trampolim de importantes transformações existenciais graças a novos suportes bioquímicos e psicoterapêuticos. Da mesma forma, habilidades e criatividades antes abafadas e desperdiçadas encontram hoje espaço de poder porque destrancadas por intervenções bem fundamentadas pela compreensão diagnóstica e pela atuação psicoterapêutica. Mundos desconexos podem se juntar em alianças inspiradoras graças a novas possibilidades de inclusão proporcionadas pelos conhecimentos neuropsicológicos. O autoconhecimento, a consciência crítica e a autonomia são facilitados por métodos eficazes de relações terapêuticas. De outro lado, forças que possibilitaram ao longo da história que as pessoas lidassem com o trágico da vida e crescessem com isso hoje ficam encobertas por remédios ou métodos psicoterapêuticos que aliviam, mas não curam. Indignações que potencialmente transformariam a vida de comunidades inteiras restam sedadas em conformismos químicos ou em adaptações cognitivas depauperadoras. Afetos são intelectualizados e, com isso, desapoderados. Dualismos teóricos se sobrepõem à multiplicidade existencial que somos. Suportes grupais e familiares são substituídos por suportes bioquímicos e/ou virtuais, gerando isolamento e alienação, solapando a solidariedade como valor para o dia a dia.

Essa moral psicopatológica traz uma maneira bem peculiar e bem presente na atualidade de lidar com o sofrimento humano, correndo o risco de não levar na devida conta um ponto um tanto árduo, embora óbvio: a vida é permeada por sofrimentos, e eles não podem ser confundidos com psicopatologias. Tais sofrimentos têm raízes diferentes e diversas intensidades, mas nos acompanham por toda a existência. Alguns são tão simples que muitas vezes nem mesmo os chamamos de sofrimento – a derrota de nosso time de futebol no meio do campeonato, o passeio que não conseguimos fazer no próximo fim de semana mas realizaremos em breve, o livro que só conseguiremos comprar no mês que vem... Se tivéssemos uma escala, os pontos a seguir já trariam dores capazes de ser denominadas como sofrimentos: a perda de um conforto significativo, as férias frustradas, o sacrifício (ainda que amoroso) em prol de outra pessoa, os anos que escorrem pelos dedos da vida em direção à velhice. No ponto mais alto dessa escala teríamos as dores mais temidas, aquelas que independem de nossa ação – o morrer ou a morte de um ente querido ou de uma união, a derrota de ideais, a dificuldade de encontrar sentido para o vivido. São muitos os caminhos do sofrimento, terrenos fertilizados pelo fato de que somos insaciáveis em nosso desejar, o que amiúde nos leva a almejar mais do que a vida pode nos dar. Em síntese, se a vida não tem só sofrimento, ela tem muito sofrimento. Sempre teve, por toda a história humana, embora seu formato varie de época para época, de sociedade para sociedade, de campo para campo.

É bom reforçar que, obviamente, a vida não é só sofrimento. Ela propicia também bem-estar, satisfação, realização, prazer e até mesmo algumas gotas de felicidade. Uma das melhores sabedorias que se pode desenvolver é a abertura e a capacidade para saborear esses momentos e depois fazer deles fonte de força e de inspiração para lidar com aqueles momentos de dor, de sofrimento. Sabedoria é também compor um ritmo em parceria com a vida, nos tons e semitons dos ganhos e das perdas que produzem uma melodia infinita e bela, a sinfonia de nossos dias nesta existência. Tivéssemos só as notas altas, e nossos ouvidos e garganta não suportariam; tivéssemos só as notas baixas, e nossos olhos e coração sucumbiriam. Por isso a música existencial é harmonia, sons e silêncios em um ritmo circunstancial e fluido que nos embala, que nos anima, que nos consola, que nos acalenta, que nos encoraja, que nos vangloria. Precisamos disso tudo ao compor a sinfonia de nossa existência, cada um de nós com sua música única e irrepetível, original e comungante, recheada de sentimentos, ressoada com e no outro. Em todas as épocas foi assim, com particularidades dos campos que dão contorno às formas.

Isso posto, precisamos agora nos perguntar sobre outras particularidades de nosso campo atual que atuam nos sofrimentos que experimentamos na cultura ocidental. Mais especificamente, que particularidades dizem respeito à ansiedade, tema tão importante em nosso cotidiano apressado. Nas discussões que se seguem neste capítulo, dada a amplidão do tema, farei um recorte e, com ele, escolherei alguns vieses que me parecem mais relevantes para os psicoterapeutas.

A ansiedade

EM PARTE, CREIO EU, a excessiva patologização da ansiedade se apoia no fato de que ela não é uma vivência agradável, antes pelo contrário. Em outra parte, isso se deve a um movimento ideológico que visa abafar a consciência crítica e tem como um de seus caminhos o abafamento bioquímico da ansiedade, em vez de um diálogo sanativo com ela, pois tal diálogo, dado seu poder de conscientização, poderia ser transformador para as pessoas e para a cultura. Além disso, como defesa denunciadora, muitas vezes ela nos convida e nos provoca a caminhar ao encontro de aspectos sombrios de nossa personalidade, os quais intuímos ou até mesmo conhecemos e não aceitamos em nós. Nesse convite provocativo, via de regra, ela choca valores.

O sombrio, vale lembrar, nem sempre é aquilo que é temido socialmente e, por mais que possa ter conotações culturais ou comunitárias, trata-se de uma vivência individual, diferente para cada pessoa e variável nas diversas etapas da vida de um mesmo indivíduo. O sombrio não aparece apenas em vivências que poderiam ser chamadas de malignas, funestas ou ruins, pois há também muitos bons potenciais na sombra. Para ser mais claro, exemplifico com a história de uma amiga, hoje com 70 anos de idade, que viveu praticamente toda a vida apoiada na submissão a pelo menos um homem: primeiro o pai e o avô materno, depois o marido e o filho. Sempre que essa amiga tem uma possibilidade de liberdade, de se responsabilizar sozinha por si, sofre uma tontura paralisadora, motivo pelo qual fica impedida de soltar-se e de viver situações que sonha viver e que, em tese e em concretude, poderia viver. Essa mulher descende de gerações de mulheres submissas – tradição que já afeta também sua filha e a qual ela não consegue quebrar; não consegue transformar em realidade esse potencial de autonomia. Sua ansiedade, vestida de tontura e de outras manifestações neurovegetativas, denuncia isso, pede a transformação dessa submissão, exige essa coragem, lhe propõe esse imenso desafio.

O desafio dela, me parece, é sair dessa linha de mulheres que se deixaram conduzir confluentemente por homens que elas empoderaram excessivamente, como se às mulheres não fosse facultado decidir; o desafio é sair dessa tradição de desperdício de talentos e de afetos, de desperdício de oportunidades existenciais; é sair dessa autoimagem enclausurada de boa menina, conhecendo e aproveitando as delícias de ser uma menina má quando é hora disso, aprendendo a flutuar entre as polaridades para responder autonomamente às situações de acordo com o que elas exigem. Essas saídas são o pedido da ansiedade para essa minha amiga, o sentido da sofrida ansiedade vivida por ela, segundo minha percepção. Muitas e muitas vezes ela foi instada a se medicar, a manter tudo como está tranquilizando-se por meio da medicação, mas ela tem resistido. Como também tem resistido, embora em outra direção, a uma psicoterapia que eu lhe recomendo sempre que posso. Não consegue se dessensibilizar com as drogas nem tampouco despertar com a psicoterapia, ficando em um impasse tão característico dos estados ansiosos. Ela flerta com a menina má que é, ainda sem conseguir incorporá-la, ainda sem conseguir compreender que essa menina má seria um acréscimo à sua

DIALOGAR COM A ANSIEDADE

personalidade, não uma troca na qual a boa menina seria excluí-da. Essas resistências ampliam seu sofrimento, do qual um dia ela haverá de se livrar por algum caminho, se tiver tempo. Eu cá espero e torço para que o caminho que escolha seja o de transformar essa ansiedade patológica em ansiedade saudável, e aí cuidadosamente se libertar, dialogando com seus temores. É a partir de vivências como essa, observadas em meu cotidiano e em meu consultório, que penso que, mais do que nunca, precisamos desenvolver e popularizar critérios para diferenciar a ansiedade como defesa eficaz da ansiedade como defesa exagerada – ou, em outros termos, a ansiedade saudável da patológica.

Vivências de ansiedade, ainda que muito dolorosas, são possibilidades de crescimento e de autoatualização. Por isso, é necessário que dialoguemos com nossas ansiedades, saudáveis ou patológicas. Nesse diálogo, que possamos compreendê-las como oportunidades de flexibilização de nossos padrões existenciais e de nossos valores, como oportunidades de ampliação de nosso autossuporte e de nosso suporte ambiental, de apropriação de nossa coragem de ser (Tillich, 1967), pois são, em verdade, pedidos de mudanças e de ousadias. Tarefa difícil esse diálogo, é bem verdade – a ansiedade pode ser vivida como uma cunha que abre caminhos dolorosamente pela pele da alma. Em nossa cultura, dado o temor ante o sofrimento, e dados os esforços ilusórios em busca de se viver sem sofrimentos, cada vez mais pessoas preferem se anestesiar (an-estesia: não percepção; contato empobrecido; sem estética) a buscar em si e em seu ambiente os suportes para a coragem de ser e de se renovar. Essas pessoas contam com amplo apoio ambiental para isso, como já frisei e como podemos observar, por exemplo, no impressionante número de ansiolíticos vendidos a cada dia no Brasil.

Observações sobre a medicação

EM MINHA PRÁTICA CLÍNICA como psicoterapeuta, percebo com cada vez mais frequência a presença constante de medicamentos ansiolíticos no cotidiano de alguns clientes, os quais se utilizam desses remédios como se fossem recursos naturais e inofensivos para facilitar o contato com o mundo no dia a dia. Imagino que esses clientes sejam apenas uma amostra de como esse fenômeno se torna cada vez mais comum em nossa cultura pouco afeita ao conflito amoroso e à verdade. Inúmeras vezes, em meio ao atendimento, a pessoa, como que acidentalmente, conta que toma determinado medicamento há muitos anos e que não consegue imaginar como seria ir para a cama sem ele. Alguns nem sequer se lembram desde quando tomam tal medicação ou quem a receitou pela primeira vez – apenas sabem que "passam" por um médico para obter nova receita, ou pedem a médicos amigos que façam a prescrição. Quando os encaminho para uma avaliação psiquiátrica geralmente se assustam e demoram a aceitar a ideia. A maioria acaba concordando com a consulta ao psiquiatra e, se encontram um profissional crítico, criterioso com o uso de psicofármacos, que propõe um "desmame" cuidadoso ou um uso mais adequado, espantam-se (às vezes mesmo se assustam) ao saber que, sim, é possível enfrentar os sofrimentos existenciais sem o uso frequente de medicamentos, ou apenas com o uso controlado que visa dar suporte a mudanças existenciais – as quais, por sua vez, possibilitarão que o medicamento um dia não seja mais necessário.

Um dos problemas mais sérios que os psicoterapeutas enfrentamos com relação à medicação associada à terapia é um paradoxo: às vezes a medicação é tão eficaz no combate ao sintoma

DIALOGAR COM A ANSIEDADE

que se torna iatrogênica, pois impede o sintoma de cumprir sua função, qual seja, a de provocar mobilização para mudanças existenciais.

Aquele indivíduo que sofria de intensa ansiedade, até de depressão, por não ter coragem de correr o risco de modificar a relação com o cônjuge, toma a medicação, tem reduzido seu nível de ansiedade e, num movimento contrário a sua autoatualização, deixa que o cotidiano permaneça como estava, mas sem o sofrimento que havia. Em suma, mantém a mesmice e adia os riscos inerentes à mudança. Transformar-se e transformar o próprio mundo é trabalhoso, envolve riscos e não há a garantia de que a mudança terá como resultado uma vida melhor, de modo que são muitos os que escolhem usar a medicação de maneira iatrogênica. Nesses casos, o perigo maior em médio e longo prazos está em evitar os riscos, não em corrê-los: até quando essa escolha pode ser mantida? Com que consequências futuras?

Há pouco tempo um cliente, com mais de 50 anos de idade, que sempre traz consigo sua garrafinha de água, me contou, assim como quem não diz nada importante, que precisa ter cuidado para não dar nenhum gole de sua água a ninguém, pois em alguns dias, quando imagina que vai viver situações duras ou ansiogênicas no trabalho, pela manhã pinga algumas gotinhas de conhecido ansiolítico naquela água e a vai tomando ao longo do dia. Esse cliente, um profissional bem-sucedido, como tantos outros, substitui a possibilidade de desenvolver os próprios recursos para lidar com as frustrações inerentes a sua atividade profissional pelo uso paliativo da medicação. Acredita que assim está se cuidando, quando, na verdade, está apenas irrigando sua plantação de impasses e de evitações, com reflexos em todas as áreas de sua vida.

Outro cliente, na faixa dos 35 anos, procurou-me por sugestão de um psiquiatra, a quem ele havia consultado porque tomava o mesmo ansiolítico havia mais de 20 anos e gostaria de encerrar esse uso. Depois de montar uma estratégia de desmame, o psiquiatra sugeriu a terapia como um dos recursos para lidar com o abandono da medicação e para que o paciente se abrisse à descoberta dos recursos pessoais que estavam toldados pelo uso crônico e inadequado da medicação. Esse cliente me conta em sua primeira sessão que começou a tomar a medicação por orientação de um cardiologista, a quem procurara na adolescência por causa de uma taquicardia associada a crise de ansiedade. Desse médico recebeu a receita e a orientação de que usasse a medicação para toda a vida, "porque você é um jovem muito ansioso".

A melhor metáfora (e a mais comum) que conheço para a medicação psiquiátrica é a da bengala – a medicação (e também a psicoterapia) é uma bengala, de uso necessário e temporário, útil até que a pessoa recupere sua mobilidade. Como as bengalas, também os remédios, quando bem prescritos, promovem a possibilidade da recuperação da saúde e da mobilidade; porém, quando mal prescritos, como a bengala, provocam dependência, irresponsabilidade existencial, conformismo, despotencialização. O trabalho do psiquiatra consciencioso é muito mais difícil do que parece!

Essas e outras situações como as que relatei me deixam preocupado, pois entendo que há certa demonização da ansiedade em nossa cultura, a ponto de muitos profissionais da área de saúde nem mesmo se questionarem sobre o fato de que há uma ansiedade saudável e outra patológica, tomando, infelizmente, toda manifestação de ansiedade como patologia. Falta um movimento maior de esclarecimento sobre a amplidão de vivências ligadas à ansiedade; falta esclarecer que, ainda que seja uma

O diálogo com a ansiedade hoje

NÃO À TOA A ansiedade é uma grande questão em nossos dias. Talvez o ser humano nunca tenha sido, ao longo da história, tão ameaçado pela impermanência como o é agora. Vivemos um mundo baseado na pressa, como comentarei adiante. Um mundo cada vez mais violento, especialmente no Brasil – e, no Brasil de hoje, sobretudo para as minorias e as mulheres. Um mundo onde as raízes mais e mais são trocadas por âncoras (Bauman, 2011), o que exige uma vida com ainda mais criatividade e liberdade. Por tudo isso, vivemos em um mundo mais ansioso. Mais que nunca estamos sujeitados a viver muitas situações sob um "estado de emergência crônico", como afirmam Perls, Hefferline e Goodman (1997)[2]. Em função disso, haja desconforto, especialmente para aqueles que têm percepção dessas características de nosso mundo atual! E são muitos os que as percebem e estão perplexos, sem saber direito como reagir, como lidar com essas mudanças tantas e tão rápidas pelas quais passamos. Procuram-se inúmeras alternativas em busca de um maior bem-estar existencial; artes, movimentos comunitários, participação em grupos de pertencimento, busca de

2. "O problema é que, de modo geral, existimos num estado de emergência crônico, e a maior parte de nossas capacidades de amor e perspicácia, raiva e indignação está reprimida ou embotada. Aqueles que enxergam de maneira mais penetrante, sentem mais intensamente e agem mais corajosamente, em geral se desgastam e sofrem, porque é impossível que alguém seja extremamente feliz até que sejamos felizes de maneira mais geral. Agora, se entrarmos em contato com essa realidade terrível, nela existirá também uma possibilidade criativa" (Perls, Hefferline e Goodman, 1997, p. 64).

trabalhos que incrementem a criatividade. Mas há também aqueles que são tomados por sua perplexidade, que não encontram em si ou no ambiente apoio para lidar de maneira mais criativa com essa consciência. O que fazem, então, alguns desses, ainda (mas crescente) minoria? Drogam-se, como já vimos. Com drogas lícitas e ilícitas, mais as primeiras que as segundas.

Tenho para mim que esse estado de coisas foi perfeitamente compreendido pela indústria farmacêutica e seus correligionários, possibilitando, então, que se criasse um dos mais rentáveis e promissores mercados do mundo, o dos medicamentos para o espírito (alma), para os estados anímicos, o mercado dos psicotrópicos. Esses medicamentos vêm justificados por uma intensa e reducionista teoria corporal, a qual é facilitada pelo mal costume de nossos teóricos de separar o corpo da alma, como se não fôssemos uma totalidade. Facilita também a ampliação desse mercado o fato de nossa cultura enfatizar que temos um corpo, não que somos um corpo. Quando se tem um corpo, este é fragmentado, composto por partes que, de tão distintas, mais digladiam que cooperam entre si, pois, na prática, nesse modo de pensar, não há um fenômeno totalizador. A pessoa diz "minha cabeça dói", ou seja, a cabeça é algo externo, quase que alheio a ela. Quando se é um corpo, há uma totalidade, a pessoa diz "eu tenho dor de cabeça", ou seja, há um fenômeno totalizador presente e responsável, uma aproximação maior de uma postura potencialmente saudável ante a vida.

Quando tratamos do uso da medicação, temos de levar em conta o "e", palavra-chave em Gestalt-terapia que nos possibilita considerar o ser humano como também corporal, o que, por sua vez, permite a associação da psicoterapia, mais (mas não somente) mental/espiritual/relacional, ao trabalho medicamentoso,

DIALOGAR COM A ANSIEDADE

quando indicado. Deve ficar claro que, ao se explicar o funcionamento biológico em determinada experiência, não damos cabo de compreendê-la. As descobertas recentes no terreno das neurociências propiciam reaver, como propõem há muito tempo a Gestalt-terapia e outras abordagens humanistas em psicologia, a importância do corpo na formação dos símbolos psíquicos, a qual, para Carlos Byington, é incomensurável. Diz Byington (1988, p. 23) que "a separação do corpo da dimensão psíquica na tradição do Ocidente é um sintoma de patologia cultural". Desse modo, penso que algo que parte da área da assim chamada saúde mental tenta fazer hoje, reduzir radicalmente o psiquismo ao aspecto corporal, é a mesma patologia com nova roupagem. Não há dúvida, no entanto, de que os estudos sobre o cérebro humano trazem novas luzes na compreensão da vivência do sofrimento emocional, principalmente por possibilitarem novas questões sobre o fenômeno da consciência humana.

Nós somos uma totalidade, o que afeta nosso corpo afeta nossa mente (psiquismo) e nossa espiritualidade (ou alma). Mas a ênfase no corpo que se tem, e não no corpo que se é, justifica melhor o uso pouco cuidadoso de medicamentos. E com um agravante: a maioria deles, em especial os destinados à lida com a ansiedade, são muito eficazes para a lida com o sintoma. O problema, então, não são os medicamentos, mas a forma como os usamos. Lembro-me de um diálogo que tive com um tio, psiquiatra, quando eu era um recém-formado ávido por conhecimentos, e ele, um dos melhores mentores que tive na juventude. Na época, havia praticamente apenas dois grandes ansiolíticos, e perguntei ao meu tio se eles eram mesmo eficazes. Sua resposta: "São, muito. E esse é o problema para nós, pois as pessoas não querem largar o medicamento mesmo quando já não precisam dele". Essa resposta, dada há aproximadamente 40 anos, hoje é até mais atual que antes.

Isso posto, quero discutir sucintamente um dos pontos mais importantes quando se reflete sobre o uso de medicação psiquiátrica no processo terapêutico e fora dele: qual é a função do remédio? Começarei com uma história pessoal. Certa vez, durante uma consulta, ouvi de um médico homeopata: "Remédio remedia, não cura; se curasse se chamaria curédio". De fato, a despeito do bom humor, a frase coloca à perfeição a função da medicação em um processo de adoecimento: possibilitar que a pessoa tenha caminhos para recuperar o estado de saúde, uma vez que o que de fato cura é o próprio corpo, é a própria pessoa em seu todo, desde que dadas as condições necessárias para tanto – quando bem prescrito, provisoriamente o remédio se torna uma dessas condições. Nos casos de psicopatologias em que é necessário o uso de medicação, esta deve possibilitar um novo equilíbrio a partir do qual a pessoa consiga reorganizar sua vida e seu modo de ser a fim de que, a partir de determinado momento e de determinado progresso alcançado, não precise mais da medicação. A psicoterapia funciona segundo o mesmo princípio: ela existe para não existir. Em tese e idealmente, isso é válido para todas as patologias, embora a realidade seja um pouco diferente: nos casos mais graves, somente a medicação e a psicoterapia tendem a não ser bastantes, exigindo uma série de outras intervenções, daquelas dirigidas ao meio familiar e de convivência da pessoa adoecida ao obrigatório atendimento interdisciplinar, uma equipe no apoio à recuperação do bem-estar existencial, passando pelas atitudes que possibilitem o máximo de bem-estar social. Esse tratamento ideal custa caro e só por isso não está acessível à maioria das pessoas, o que acaba por confirmar o mito da cronicidade da doença mental. Na grande maioria dos casos, o adoecimento emocional só se torna crônico quando mal ou tardiamente compreendido e tratado.

Tanto em relação ao uso do medicamento quanto em relação à própria psicopatologia, algumas questões me parecem importantes. A primeira delas se refere ao fato de que, se, ao atendermos nossos clientes, estamos diante de um indivíduo, ainda assim podemos não utilizar uma ótica individualista para compreender essa pessoa, percebendo-a como parte de um campo e, assim, retirando o peso do excesso de subjetivismo que ainda impera no meio da área da psicologia. Fazendo essa aproximação, respeitamos o ser humano como parte do campo, não um ser isolado que vai se tornar mais feliz ou mais adaptado somente porque se fizeram mudanças bioquímicas em seu corpo ou porque determinado comportamento foi modificado.

Olhando para esse campo, a sociedade ocidental no fim da segunda década do século 21, notamos que, de certa maneira, estamos cada vez mais próximos do "soma", o medicamento obrigatório do "admirável mundo novo" de Huxley. Por exemplo, é cada vez mais comum chamar os antidepressivos de "moduladores do humor", uma sutil manipulação semântica para facilitar o seu uso por tempo indeterminado, quando não por toda a vida. Está nessa categoria do mau uso também a busca de performances exageradas, de ampliação desrespeitosa dos limites de desempenho com medicamentos psicotrópicos ou outras drogas de efeitos semelhantes, o elogio e a busca de um modo de viver que não tem o cuidado, o amor ou a coletividade como valores centrais, mas a produtividade, a competitividade, o individualismo e o imediatismo. Isso tem afetado sobretudo os mais jovens, que ainda não sabem resistir às pressões do mercado insaciável e globalizado, como previa Huxley.

No admirável mundo novo desse autor, todas as pessoas de determinadas classes existenciais (lá não há classes sociais, mas existenciais, uma vez que cada ser é gerado artificialmente para cumprir determinada função social e determinado modo de viver) são obrigadas a tomar todo dia um comprimido, de nome "soma", que as fará felizes e alegres por 24 horas. Então, elas tomam seu comprimido matinal, vivem um imenso bem-estar, trabalham e, ao fim do expediente têm uma vida sexual ativa e sem afetos, para então voltar para casa a fim de dormir e começar tudo de novo no dia seguinte, sem a menor possibilidade de tédio, de cansaço, de sentimentos e, portanto, de criatividade e de subversão, sem a menor possibilidade de solidariedade, para não dizer de sentido ou de humanidade. O sentido da vida delas é não ter sentido. São vidas aparentemente felizes, sem sofrimentos, alienadas e vazias, mais ou menos o ideal que subjaz à nossa cultura hoje. E o caminho para essa vida do admirável mundo novo começa pela luta contra o principal inimigo dela, o sentimento, uma das matrizes do sentido existencial. Essa luta hoje, em nosso mundo real, se dá entre nós, ao menos em parte significativa, por meio de uma excessiva psicopatologização da cultura, do vocabulário, das relações.

Perls (*apud* Tellegen, 1984, p. 40) ensina ao longo de toda a sua obra a importância da semântica, a importância do cuidado com o sentido das palavras e das frases:

> Se você quiser melhorar [...], estude semântica, o melhor antídoto contra a frigidez do paladar mental. Aprenda a assimilar o núcleo das palavras, o sentido e significado de sua linguagem. [...] Aprenda a mastigar, degustar, saborear o poder contido no *logos* de cada palavra [...]. Desordem mental e emocional produz distorção de significados e uso errado da gramática.

DIALOGAR COM A ANSIEDADE

Sutilmente estamos tirando os sentimentos do nosso vocabulário cotidiano, substituindo as palavras que os traduzem por termos médicos, e é isso que caracteriza a face mais perigosa da psicopatologização da sociedade e do cotidiano. Tente lembrar quando foi a última vez que você ouviu de alguém, um amigo, um parente, uma pessoa próxima, que essa pessoa estava triste. Tente dizer a alguém que você está triste e observe a reação que isso causa. Agora troque a palavra. Quantas pessoas você já ouviu dizer que estão deprimidas? Que hoje está deprimida? Que acordou deprimida? Em outros termos: hoje temos autorização social para nos dizermos deprimidos, ou seja, adoecidos, mas não podemos nos denunciar tristes, ou seja, existentes. Na mesma linha, a organização e as manias viraram TOC, a criança muito ativa virou transtorno do déficit de atenção com hiperatividade (TDAH), os indivíduos inconstantes viraram bipolares, a ansiedade é só patologia. E é importante salientar: as descrições dos quadros psicopatológicos hoje são muito boas e cuidadosas, mas elas foram de certa forma desvirtuadas ao serem popularizadas, favorecendo a patologização do cotidiano e a medicação do sofrimento existencial próprio da condição humana – não apenas daquele que precisa ser medicado para se tentar alcançar o nível de dor suportável em algumas situações. A categorização psicopatológica cresce dia a dia, a ponto de chegar a níveis que para mim são alarmantes: enquanto escrevia este texto, recebi um e-mail de uma colega que dizia: se você tem dificuldade para ficar à toa, se vive dificuldades para desfrutar do ócio, se vive esse temor, você sofre de ociofobia! Para mim é assustador! Em vez de buscarmos compreender, categorizamos, julgamos, patologizamos. Muita explicação e pouquíssima compreensão, uma severa evitação da empatia.

Assim como as pessoas leigas não sabem o que é de fato uma depressão, não têm ideia de como é sofrido um transtorno bipolar, muitas vezes não têm liberdade para viver uma ansiedade normal, muitos de nós, psicoterapeutas e demais profissionais da área da saúde, estamos nos esquecendo de que há sofrimentos que são da vida, que nos favorecem o crescimento, que nos ajudam a criar a fibra necessária para o bem viver, que não são patologias, mas existência humana, isto é, que nos humanizam e nos fazem capazes de, mais conscientes, cuidadosos, amorosos e compreensivos conosco mesmos, ampliar também nossas possibilidades de empatia e de solidariedade para com o sofrimento do outro. Precisamos voltar a nos lembrar, sempre!, de Quíron!

Além disso, quando pensamos na gênese do sofrimento psicopatológico e em seu desenvolvimento, sem perder de vista os aspectos psíquicos e biológicos da psicopatologia, precisamos levar em consideração as desigualdades e injustiças sociais, ainda tão grandes no Brasil, além de outros fatores ambientais que possam contribuir para a manutenção do adoecimento. Isso implica que a postura do profissional da área psi é sempre uma postura política, ética e ideológica, sendo preciso que esse profissional tenha muita consciência dela. Na Gestalt-terapia, por exemplo, busca-se promover

> um despertar do indivíduo à sua responsabilidade, como um exercício de escolha e de tomada de posse da própria vida. É a retomada da ética do vivido. O ser-existente é o que se abre à responsabilidade frente ao outro, é o que se coloca disponível ao contato, a presentificar e fundamentar a si próprio e ao outro. Uma relação ética antes de mais nada. (Holanda, 1998, p. 43)

Outra questão, também ligada à ideologia e sobre a qual já falei, é o cuidado para que não se fique só no tratamento do sintoma, sem olhar como é vivido pelo cliente, sem olhar o sentido

DIALOGAR COM A ANSIEDADE

do sintoma, sem olhar as relações que o sintoma guarda com o *lá e então* da vida dessa pessoa. O lá e então do passado e o lá e então do futuro. O do passado é fundamental porque, mesmo levando em conta que o passado não causa o presente, somos seres históricos, nos compomos ao longo do tempo; o do futuro, porque nos orientamos inevitavelmente em direção aos horizontes que percebemos ou imaginamos.

Aqui, uma repetição e um parêntese: quando bem prescrita e bem utilizada, a atual medicação psiquiátrica é um potente auxiliar no trato das situações mais difíceis, tendo sempre uso idealmente temporário. O problema com a medicação é seu mau uso, em especial o uso político, que tem sido muito mais comum do que podemos imaginar, consubstancializado na ênfase na subjetividade em detrimento dos aspectos do campo – em outros termos, no descolamento dos sofrimentos existenciais de suas raízes sociais. Assim, o uso político se dá na negação da co-construção da existência, na negação de que o adoecimento de uma pessoa é concomitante com o adoecimento de seu campo.

Esse mau uso da medicação psiquiátrica pode se dar de diversas maneiras. Quero apontar aqui a mais danosa para uma psicoterapia fenomenológica. Trata-se de usar a medicação (e a psicoterapia) para tratar da doença, perdendo de vista a pessoa que sofre e, tão grave quanto, perdendo de vista o sentido do sintoma. As descrições que temos das patologias são ricas e bem desenhadas. É relativamente fácil reconhecer um transtorno de ansiedade, como um transtorno de ansiedade generalizada (TAG), uma síndrome do pânico, uma fobia. É tentador nos propormos a tratar esses sintomas como se essa fosse a finalidade da psicoterapia gestáltica, como se o nosso conceito de cura se reduzisse ao fim da sintomatologia, como é o da psiquiatria biomédica. Não! Nós, enquanto Gestalt-terapeutas, precisamos ir além disso se quisermos coerência entre nossa atuação e nossa visão de ser humano e de seus sofrimentos.

Entendo que a ansiedade, seja a saudável ou a patológica, assim como todos os adoecimentos chamados de mentais, até mesmo os crônicos, são sinais de que há um potencial que não podia ser atualizado e agora pode. E o potencial denuncia isso, no mais das vezes, através da dor. Porque é muito comum que crescer doa. Nesse sentido, o que temos são sintomas da saúde, e não patologias a ser extirpadas. O que temos são sinais de saúde que precisam ser ouvidos, decodificados, compreendidos e empoderados, que precisam brotar, pois são facilitadores de mudanças necessárias naquele momento. Quando apenas extirpo o sintoma, quando não observo seu sentido, ele pode sumir por uns tempos, mas logo voltará, ainda que com nova aparência, até que eu possa olhar autenticamente para ele e ousar as mudanças que ele pede. Isso se a pessoa ainda tiver tempo, pois às vezes fugimos tanto e por tanto tempo de determinadas mudanças que a própria vida se acaba sem que tenhamos aproveitado a oportunidade de atualização e crescimento.

Os manuais hoje, como vimos, trazem boas descrições do que acontece com uma pessoa que vive um adoecimento chamado de mental. Mas não temos preocupação suficiente com o sentido daquele adoecer naquele momento e naquele campo. Assim, as descrições dos manuais são categorias que precisam ser olhadas com cuidado, pois, se elas nos dão bons *quês*, não respondem adequadamente ao *como*, e o *como* é o principal fundamento de uma psicopatologia gestáltica, na medida em que é nele que se revela a intencionalidade. Nem todos se dão conta de que o chamado sofrimento mental é dor de parto, do parto de

DIALOGAR COM A ANSIEDADE

um ser novo e atualizado. Devemos dar atenção aos aspectos semiológicos, que nos podem ser úteis sobretudo nos trabalhos em equipes multiprofissionais. Para o psicoterapeuta, as descrições semiológicas podem ser pontes de compreensão, mas não podem ser o alvo da psicoterapia. No que diz respeito à ansiedade propriamente, para um olhar gestáltico importa muito, muito mais, o sentido da ansiedade que seu formato.

A finalidade da psicoterapia fenomenológica, da forma como eu a entendo, é propiciar ao cliente um campo no qual ele possa se aventurar em busca de si e em busca de transformar suas ansiedades em alavancas de seu crescimento, em mobilizações que possibilitem uma vida mais atualizada, criativa e plena. O objetivo da terapia é incrementar a coragem, o melhor antídoto para a ansiedade patológica, o principal alimento da ansiedade saudável. A coragem de ser. A coragem de se ser, fruto da coragem para se descobrir e se dar a conhecer.

Para finalizar este tópico, duas observações muito importantes. A primeira, fundamental, é sobre a necessidade cada vez mais visível de trabalhos interdisciplinares, equipes de profissionais que se colocam a serviço de seus pacientes, em um esforço conjunto de soma de saberes e de trocas profissionais que ajudem o paciente a recuperar sua saúde. No terreno do que mais comentei aqui, não é o psiquiatra fazendo seu trabalho com a medicação e o psicólogo fazendo a terapia, cada um por si. É preciso que os profissionais, no mínimo, se comuniquem, troquem impressões sobre aquela pessoa em questão, debatam suas divergências em prol do cliente. Quando eles não se comunicam e cada um faz isoladamente seu trabalho, o cliente se sente como o filho de um casal divorciado que não se conversa mais: desamparado, indeciso, dividido, inseguro, mal considerado.

A segunda observação é mais um pedido, endereçado sobretudo aos jovens que estão se formando: tentem nunca tratar somente do sintoma, mas sempre tratar com a pessoa que sofre.

Os sentimentos e a racionalidade

NESSE PROCESSO DE BUSCA de enfrentamento dos sofrimentos e de busca de ampliação da possibilidade de bem viver, um dos mais belos estratos de nossa humanidade é nossa capacidade de sentir. Mas esse belo é mobilizador, é desestabilizador e não depende de nossa vontade. O sentimento é constituído basicamente por dois elementos: uma atividade corporal (que muitos chamam de emoção) e a percepção consciente dessa atividade (quando a emoção é reconhecida, passa a se chamar sentimento), ou seja, há um movimento corporal, nós o percebemos e o nomeamos como sendo um sentimento (Lowen, 2018). Entendo que podemos vivenciar, *grosso modo*, seis sentimentos (polares) e suas combinações: amor e raiva; medo e coragem; alegria e tristeza. Por exemplo: a saudade é uma combinação do amor com a tristeza, o ciúme é uma combinação do amor com o medo, a fé é uma combinação da coragem com o amor e a alegria, e por aí afora.

Nenhum sentimento é bom ou ruim por si, tudo depende de como é vivido, do diálogo que estabelecemos com nossos sentimentos, do que potencialmente eles nos apontam. Não dá para se escolher o que sentir, uma vez que os sentimentos são *acontecimentos* corporais, não frutos da vontade. Os sentimentos brotam na gente, eles são fenômenos que se dão em nós, em nosso corpo, em nossa mente, em nosso espírito. Não há como controlá-los, de modo que muitas vezes eles se tornam assustadores, pedem mudanças sofridas na vida, pedem, até ordenam, ousadias que podem ter alto preço. Desafiam nosso conservadorismo. Produzem novas configurações para nossos sentidos existenciais. Geram ansiedades. Produzem desafiadoras instabilidades. Exigem mudanças em valores ou nos conscientizam de mudanças de valores. Nos deixam, basicamente, dois caminhos: ou dialogamos com eles e crescemos ou os reprimimos. É no segundo caminho que vai a excessiva medicação que vivemos hoje, tanto quanto grande parte da ideologia de nossa cultura. Por um outro caminho, a pessoa suficientemente saudável conhece, aceita, respeita e dialoga com seus sentimentos, sejam eles quais forem em cada circunstância.

Somos instados por nossa cultura a não sentir, ou a não dar aos sentimentos a devida atenção. Isso é verdadeiro para a maioria das pessoas, mas é mais verdadeiro ainda para os homens, já que às mulheres algum sentimento é permitido, até desejável. É bastante comum, em terapia, quando um cliente conta um episódio e nós perguntamos como se sentiu então, ou como se sente agora ao rever o vivido, a resposta vir em uma palavra: "normal". Então perguntamos o que é normal, e o que temos diante de nós é uma pessoa embaraçada, que não consegue ir além do "normal" ou do "como todo mundo". Então precisamos olhar bem nos olhos de nosso embaraçado cliente para ver se o ajudamos a encontrar o sentimento agora embotado.

O olhar é a janela por onde os sentimentos podem aparecer. É também a janela por onde passam a espontaneidade, a empatia e a solidariedade. As barreiras ante elas, bem como a exagerada atenção ao desempenho, são marcas de nossa cultura e geram muita ansiedade.

Uma das mais importantes barreiras à empatia e à solidariedade é certa falta de atenção para com os pequenos gestos, as pequenas atitudes. Para poder viver cada vez mais a ansiedade saudável, precisamos ampliar a conscientização sobre a importância da empatia e da solidariedade. Não obstante, isso só terá efeito se vinculado ao cotidiano das pessoas, ao dia a dia das pequenas atitudes e posturas, ao concreto da existência de cada um. Caso contrário, a solidariedade nunca deixará de ser algo especial para se fazer em momentos especiais. O que quero dizer é que devemos trivializar a solidariedade, torná-la algo comum no dia a dia. Isso poderá ser alcançado se iniciado pelos mais próximos, se voltado a princípio para aqueles que nos são iguais socialmente ou próximos afetivamente, e só depois se ampliar para os mais distantes em variados aspectos.

Não é verdade que a solidariedade para com os mais próximos seja inevitável ou suficientemente existente, a não ser em momentos extremos. Estes, porém, não são parte do cotidiano e são raros o bastante para que possamos olhar com mais atenção para a possibilidade da solidariedade nos momentos cotidianos, nos quais parece que a solidariedade não tem cabimento. Quase não se percebe em nossa cultura, seja nas escolas, seja nas famílias, uma educação preocupada com esse tipo de postura diante da vida: somos educados e educamos principalmente para a competição e para o raciocínio, quase nada para a solidariedade e o sentimento. Isso gera muita ansiedade patológica, fundada na má percepção da solidão, tema para nosso próximo capítulo.

Penso que seria interessante que passássemos a prestar atenção aos laços afetivos com o ambiente, à possibilidade de se compreender o diferente, o outro, quer ele seja de outro sexo, quer ele seja de outra orientação sexual, de classe social próxima ou diferente, de etnia próxima ou diferente. Tentar compreender o diverso, tentar compreender o outro, é combustível para acender a chama da compaixão, farol da solidariedade, antídoto da ansiedade patológica. O outro, mesmo o outro que nos habita e muitas vezes tememos.

Necessitamos urgentemente de um incremento da empatia, pois, à medida que conseguimos acentuar a capacidade de empatia, também ampliamos nossa intolerância à dor alheia, o que pode nos levar a ações de maior cuidado e atenção para conosco mesmos, para com o outro e com o ambiente e, portanto, a menos ansiedade patológica.

A pessoa suficientemente sadia conhece o sofrimento, reconhece o trágico da existência humana e sabe que as dores e os conflitos pelos quais passa não são sem sentido ou desnecessários, mas fruto de mudanças decorrentes de aberturas para que novas configurações emerjam. Dessa forma, ela sabe que pode e deve abrir-se às possibilidades que a vida lhe proporciona; sabe também que precisa aceitar e lidar com as restrições existenciais que encontra, assim como precisa aceitar e lidar com as ampliações do existir. Assim, a pessoa saudável reconhece que pode desenvolver ajustamentos habilidosos e criativos aos prazeres e às conquistas, e também aos sofrimentos, aos adoecimentos, ao envelhecimento e à mortalidade, comuns a todos os humanos. E ela amplia o espaço para a ansiedade existencial, saudável. Acaba por descobrir que viver saudavelmente implica entregar-se à vida com desapego, quer dizer, além de viver o crescimento e os prazeres de forma plena, reconhecer e sofrer com as inevitáveis perdas, mas sem se apegar a elas. Ademais, é também ser de abertura para o mistério: sabe que o crescimento humano só se dá quando a pessoa se nutre do que a transcende infinitamente, pois a sensibilidade existencial abre para o sagrado.

Finalizando este capítulo, quero lembrar que nós, psicoterapeutas, para sermos ferramenta para esse crescimento, para sermos meio pelo qual a pessoa se encontra consigo mesma e se desvela, devemos ter a coragem de criar um campo de aceitação, empatia e compreensão da precariedade da condição humana, presente em nossos clientes e em nós, de forma a que a pessoa compreenda que o adoecimento chamado de mental, bem como a maioria dos sofrimentos existenciais, não são culpa de ninguém, mas fatos circunstanciais que podem nos ajudar a encontrar uma forma mais responsável e solidária de viver. Isso implica, necessariamente, aprender a viver sem pressa, mas com esperança, aceitando também as pausas, momentos de vazio tão necessários quanto uma janela (o vazio da parede) é necessária para que um ambiente interno seja acolhedor e local de bem-estar.

7. Ansiedade, espera, esperança e pausa[3]

"A pausa é o momento em que nos abrimos e a abertura é a vulnerabilidade à ansiedade."

(MAY, 1987, P. 227)

DESENVOLVO NESTE CAPÍTULO uma hipótese que há muito ronda minhas reflexões sobre a ansiedade. Partindo da constatação de que estamos vivendo uma época de incremento da ansiedade, sobretudo da patológica, penso que uma das consequências disso é a deterioração – ou até mesmo a perda – da capacidade de esperar, fenômeno que podemos perceber com relativa facilidade nos consultórios e até mesmo em nosso cotidiano e que é geralmente marcado pelo autoelogio da correria a que tantos se sentem prazerosamente obrigados. Farei aqui reflexões sobre esse tema, com a expectativa de discutir caminhos para que possamos recuperar nossa capacidade de esperar com paciência e saúde, com atividade e confiança. Tenho também a esperança de que possamos ajudar nossos clientes a perceber e desenvolver a arte da espera, uma das condições da saúde existencial. Espero ainda que este texto seja lido com rapidez, mas sem pressa. Por falar em esperança, vou apontar também, ainda que sumariamente, as relações entre esta e a ansiedade, haja vista que muito da ansiedade patológica está ligado a dificuldades de ter esperança numa época de tantas vivências sem sentido. Para finalizar este capítulo, algumas

---

3. Parte deste capítulo foi publicada no livro *Angústias contemporâneas e Gestalt-terapia*, organizado por Margaret Marras (São Paulo: Summus, 2020).

ÊNIO BRITO PINTO

reflexões sobre a pausa, algo que também estamos perdendo em nosso mundo apressado.

A ansiedade e a temporalidade

LEMBREMO-NOS DE QUE UMA das melhores definições de Perls (1977b, p. 73) para a ansiedade é aquela em que ele a descreve como a tensão entre o agora e o depois:

A psiquiatria faz muito alarde em torno do sintoma *ansiedade*, e nós vivemos na era da ansiedade, mas a ansiedade nada mais é do que a tensão entre o *agora* e o *depois*. Poucas pessoas conseguem suportar esta tensão; assim, elas preenchem o vazio ensaiando, planejando, "tendo certeza", tendo certeza de que não têm futuro. Elas tentam se ater à mesmice, e, é claro, isso impedirá qualquer possibilidade de crescimento e espontaneidade.

A vivência dessa tensão entre o momento atual e o momento futuro será saudável, ou não, a depender de como a pessoa lida com essa capacidade de tentar prever o futuro – como já vimos em capítulo anterior, mas não custa rever por meio de um exemplo simples: se imagino que numa prova de vestibular posso ser reprovado (hipótese bem fundada na realidade), posso lidar com essa expectativa pessimista de duas maneiras. Na primeira, a da ansiedade saudável, cuido de estudar bastante e bem, reduzindo assim a possibilidade de reprovação. Então, vivendo um sofrimento suportável e aceitável, posso correr o risco de fazer a prova, confiando em que poderei ser aprovado. Na segunda maneira de lidar com a expectativa pessimista, mesmo sabendo que é irrazoável, tenho a convicção de que não serei aprovado.

140

DIALOGAR COM A ANSIEDADE

Então, não consigo fazer a prova ou não a termino a tempo, postergando o risco indefinidamente, com sofrimento e prejuízo significativos. Agora vamos ampliar um pouco essa visão, pois, somando-se à maneira de lidar com as expectativas, a forma como se lida com o tempo será também fator relevante para compreender se a ansiedade vivida é saudável ou não. O cuidado com essa lida é relevante na busca de uma vida saudável.

No que diz respeito à ansiedade, um dos critérios fundamentais para as compreensões diagnósticas em psicoterapia é o tempo, ou melhor, a vivência dele. Como essa pessoa lida com o tempo? Como passa por ele? Como vive a sua temporalidade? Como dialoga com os três deuses do tempo, Cronos, Kairós e Aión[4]? De que forma transita entre os três tempos que usamos para compreender nossa existência – o passado, o presente, o futuro? Na ansiedade, de maneira geral é o trânsito entre o presente e o futuro que está em foco, dado que a ansiedade surge quando nos imaginamos no futuro, ainda que essa fantasia possa vir de maneira vaga e pouco definida. Quando há tensão entre o presente e o futuro imaginado, há ansiedade; quando não há tensão, não há ansiedade, como já vimos em Perls. É importante

4. Cada um de nós pode viver três tempos: o tempo compartilhado, mostrado nos relógios e nos calendários, simbolizado pelo deus Cronos da mitologia grega; o tempo próprio, único, vivido, representado na psicologia fenomenológica por Kairós, na mitologia grega um dos filhos de Cronos; e o tempo da intensidade de presentificação e concentração, Aión, que Heráclito compara com uma força de entrega infantil. Os três tempos têm inúmeros encontros e desencontros pela vida afora. Talvez o diálogo mais difícil entre Cronos e Kairós (Aión intermedeia os outros dois deuses) em cada pessoa seja aquele que se dá no dia a dia, que busca a contemporização entre o tempo do ser e o tempo do fazer, as atividades que nos são exigidas e o necessário tempo para contemplar, para deixar a vida fluir sem obrigações, para o ócio criativo.

141

notar que, quando falo da tensão entre o agora e o depois, refiro-me a um fenômeno que se dá em toda ansiedade, independentemente de ser patológica ou saudável – o que vai determinar se ela é saudável, ou não, é a maneira como é vivida. Se imagino que posso ser reprovado ou aprovado em uma entrevista de emprego que farei amanhã, há risco, tensão e ansiedade (que pode ser perfeitamente saudável nesses casos); se imagino que daqui a pouco vou me sentar a uma mesa de um lugar conhecido e desfrutar com tempo de meu almoço, não há risco, não há tensão, não há ansiedade significativa.

Sabe-se que a transformação da ansiedade patológica em saudável passa por uma necessária presentificação. Não se pode negar a importância desta na lida com a ansiedade, sobretudo nos momentos de ataques de ansiedade, haja vista que se presentificar é, sim, importante para uma vida plena e, em alguns casos, para a retomada de si e do autocontrole. Porém, devemos ir além da presentificação. Precisamos ter a consciência de que só existimos no presente, sem perder de vista que há aqui um paradoxo notável: o presente não existe. Mal percebemos o presente e ele já é passado. Da mesma maneira, passado e futuro também não existem, como tão bem nos ensina santo Agostinho (2015) em suas provocadoras e profundas reflexões sobre o tempo. Então, de certa e rigorosa forma, a presentificação não é estritamente possível. Por isso, penso que a ênfase dada a ela na maioria dos textos sobre a ansiedade deixa de lado uma das nossas melhores qualidades, a possibilidade de flutuar entre os tempos, indo do presente para o passado, deste de volta para o presente ou em um salto indo para o futuro, e depois voltar ao passado e de novo ao presente ou ao futuro – num movimento sem fim que todos fazemos por toda a vida. Para além da desejável presentificação, me parece que é também crucial a consciência de como fazemos em nosso cotidiano o trânsito entre os tempos, com que ritmo e com que sentidos ou significados nos movemos pelos tempos ao longo das situações vividas.

Na verdade, o que temos não é exatamente a possibilidade de transitar entre os tempos, dado que tudo que é possibilidade pode se tornar impossibilidade. O trânsito pelo tempo, a não ser em casos extremos de psicoses ou de lesões cerebrais, é inevitável para nós, humanos. É obrigatoriedade, não possibilidade. Nunca deixaremos de fazer essa caminhada, para a qual usamos nossa memória, nossa imaginação, nosso *continuum* de consciência, nossas fantasias, nossos sentimentos. O que importa mesmo, então, é com que ritmo e com que sentido transitamos pelos tempos, ou seja, *como* fazemos isso no cotidiano. É por esse motivo que podemos dizer que a ansiedade surge quando transitamos com tensão em direção ao futuro. E vou um pouco além: dado que todo crescimento envolve uma perda e um risco, para que haja crescimento é preciso haver tensão. Dessa forma, mais uma vez percebemos que a ansiedade é ontológica, inerente a cada ser humano. Na ansiedade, o trânsito enfatiza mais a direção ao futuro, e a maneira como vivemos essa tensão é um dos aspectos que determinarão se a ansiedade será saudável ou não. Essa maneira varia de pessoa para pessoa, de época para época, de campo para campo, de situação para situação. Mas ela sempre será uma cocriação da pessoa com seu campo.

Cada um de nós desenvolve ao longo da vida maneiras mais ou menos padronizadas de fazer esse trânsito entre os tempos. Digo isso porque entendo que esse padrão depende de uma série de circunstâncias, como a idade e a existência, ou não, de crises momentâneas. Assim é que, quando jovens, o trânsito entre os tempos tende a privilegiar o futuro, ainda que passe também pelo presente e pelo passado. À medida que passamos pelo tempo no processo de amadurecimento, também o tempo mais enfatizado em nosso fluxo de consciência vai mudando, embora certo padrão seja mantido. Penso que pessoas criativas tendem a privilegiar o futuro, assim como as conservadoras permanecem mais no passado. Eventuais adoecimentos, físicos ou emocionais, modificam esse padrão – como acontece na depressão. Quanto mais grave esta é, mais dificuldade de lidar com o presente traz, pois a pessoa deprimida faz como que uma sublimação (no sentido da química, não da psicanálise) do presente, oscilando entre passado e futuro, nostalgia improdutiva e fracassos vindouros.

A vivência da ansiedade é influenciada por esse trânsito entre os tempos, nos dois sentidos dele: a passagem pelo tempo que fazemos em nosso infinito processo de amadurecimento e a passagem pelos tempos que fazemos em nossa consciência. Um dos sinais terapêuticos de melhora da ansiedade é a flexibilização dessa passagem pelos tempos: na ansiedade patológica, há como que um aprisionamento no futuro; na ansiedade saudável, há um fluxo mais corrente, ainda que, no momento da ansiedade, o futuro tenha preponderância.

Essa passagem pelos tempos pode ser notada também nos tempos verbais utilizados na comunicação, pois os verbos mostram onde está nossa ação a cada momento. Em terapia, de maneira geral, os momentos mais transformadores, aquelas raras e mágicas sessões ou situações terapêuticas em que há uma súbita *awareness* transformadora, são vividas com o verbo no presente. Passado o momento da comoção, os verbos devem, ritmicamente, fluir para o passado, ressignificando-o, e para o futuro, remodelando-o, para que haja uma elaboração do vivido e um

DIALOGAR COM A ANSIEDADE

apossamento consistente do transformado. Em outras palavras, no fim de vivências intensas – por exemplo, naquelas provocadas por experimentos gestálticos –, um dos cuidados mais importantes que o terapeuta deve ter é facilitar uma elaboração do experimentado, para que o cliente comece a compreender o que se passou, o que está se passando e que possíveis mudanças podem estar se iniciando. Vivências intensas precisam ser relatadas e refletidas, precisam ecoar, para que gerem consequências reais e duradouras no cotidiano.

Análogo a isso é um processo que percebo com bastante frequência em meus trabalhos terapêuticos: quando a intervenção provoca uma mudança importante, imediatamente a reação é uma volta ao passado, o contato com uma lembrança que confirma o que foi falado e abre espaço para um movimento no sentido da autenticidade e da autoatualização.

Essa passagem pelos tempos de que estou falando se dá no terreno da fantasia, como é óbvio. A não ser na ficção, também uma fantasia, ninguém vai concretamente de um tempo a outro. Mas a passagem pelo tempo em nosso cotidiano tem mais proximidade com a concretude e também tem diálogos relevantes com a ansiedade. No dia a dia, a passagem pelo tempo traz uma de nossas mais difíceis aprendizagens, talvez a que mais mobiliza a ansiedade: aquela que se refere à espera, sabedoria que às vezes levamos uma vida toda para entender e aceitar. É à espera e a um de seus ramos, a esperança, que darei atenção agora.

A espera

UMA DAS MANEIRAS DE manter a ansiedade num nível saudável é a paciência, matriz da espera – a qual, por sua vez, é uma das virtudes mais em falta na atualidade. A espera, tal sua importância, é personagem de inúmeros ditados populares e canções, sendo ora elogiada, ora criticada: "Quem espera desespera"; "Quem espera sempre alcança"; "Tudo vem a propósito para quem sabe esperar"; "Esperar é virtude do forte"; "Ser paciente e esperar alivia muito pesar". E por aí afora vão seguindo os ditados, as reflexões, os poemas, os textos curtos a falar da espera, essa atividade humana que é tão importante e, como tal, não tem valor por si só, mas depende das circunstâncias. Assim, há momentos em que esperar é ato de esperança ou de cansaço; há momentos em que a espera é passividade ou atividade; há momentos em que esperar é bom ou ruim; há esperas doces e esperas amargas. Determinadas pessoas vão à terapia para aprender a esperar; enquanto outras nos procuram para aprender a não esperar tanto. Como diferenciar? Como discriminar a hora de esperar da hora de agir? Essas respostas também dependem das circunstâncias, mas é possível fazer generalizações que podem ser úteis em nosso cotidiano e nas situações de psicoterapia.

Há muitos anos, eu atendia um homem que era muito passivo em algumas áreas fundamentais da vida. Ele percebia que tinha de tomar certas atitudes e que as postergava na maioria das vezes. Certa sessão, referindo-se a si, ele me disse: "Eu sou paciente demais!" E eu, brincando a sério, lhe respondi com um improviso que mais tarde me rendeu um artigo, publicado em 1995: "É, você é paciente, mas com dois esses. *Passiente*". Essa brincadeira com as palavras, essa criação de um neologismo, foi uma boa provocação para meu cliente, pois lhe possibilitou uma maior conscientização acerca de sua passividade e uma melhor ação diante dela. No artigo da época, escrevi: "Paciência, para mim, é uma atitude de perseverança ritmada. Perseverança na busca de objetivos, levando sempre em conta o ritmo melhor para se viver. Uma adaptação afinada e corajosa à vida. Uma atitude de respeito à passagem do tempo. *Passiência*, pelo contrário, é uma atitude de comodismo, de descrença nas possibilidades da própria autoridade, descrença no poder de influenciar o próprio destino. Uma falsa aceitação dos limites da vida. Falsa porque rancorosa. E nada mais turbulento, acomodado e apressado que o rancor".

Penso na espera como uma arte e tento diferenciar dois tipos de espera. Uma, mais passiva, mais introjetora e moralista, provocadora de ressentimentos, mais raivosa e controladora, é guiada por Cronos; a ela se contrapõe, também no terreno de Cronos, a pressa; outra, mais ativa, mais assimilada e ética, mais fundada na calma, na confiança, é guiada por Kairós e a ela se contrapõe, também no terreno de Kairós, a rapidez. Se estou dirigindo e paro no sinal vermelho apenas porque se não o fizer serei multado (introjeção), o sinal verde demorará uma chata eternidade para aparecer; se estou dirigindo e paro no sinal vermelho porque compreendo que às vezes é preciso que eu pare a fim de que outros andem, e logo outros pararão para que eu prossiga (integração ética), o sinal verde virá em um tempo vivido como razoável. No primeiro caso, temos a vivência da pressa; no segundo, a possibilidade da rapidez. No primeiro caso, temos o que chamo de espera passiva, baseada em introjeções, fruto e geradora de ressentimentos e de falta de empatia; no segundo, o que chamo de espera ativa, fruto de um posicionamento que considera empaticamente o campo e produz solidariedade.

Se na ansiedade a ênfase está no futuro, no que se espera, é evidente a relação entre a qualidade da ansiedade e a qualidade da espera. Penso que a boa espera (a ativa) é fruto do diálogo entre a ansiedade e a paciência, sendo uma boa retroflexão. A espera ativa engendra e nutre responsabilidades, ao passo que a pressa (advinda da espera passiva), que depende de projeções e introjeções pouco ou nada elaboradas, gera acusações, vitimização e culpas improdutivas, como veremos adiante. Mas não custa lembrar agora que a introjeção é um movimento relativamente passivo; a integração, que deve se dar como sequência da introjeção, é que é o movimento ativo. Assim, essa é a base para que se possa falar em espera passiva e espera ativa.

Como já afirmei, a espera é cocriação: não é fruto apenas da pessoa, mas da fronteira desta com seu campo. É à qualidade cocriada da espera que quero dar atenção agora, começando por um aspecto do campo, nosso mundo pós-moderno. Levantarei alguns aspectos de nossa atualidade que, me parece, influenciam a deterioração da qualidade da espera. De uma lista que pode ser imensa, abordarei quatro aspectos referentes ao tema.

Um mundo que deveria ser rápido tornou-se um mundo apressado

Neste tópico, vou contrapor pressa e rapidez e fazer reflexões sobre a diferença entre essas duas atitudes ante a vida, ante as vivências e ante os fenômenos. Porém, deixo bem claro desde já que no outro polo está a calma, o respeito pelo próprio tempo, a lentidão bem aceita quando se precisa ser lento, atitudes que a rapidez respeita e com as quais dialoga, ao contrário da pressa, a qual tende a qualificar a calma como doentia, ou, no mínimo, como desperdício de tempo e de vida. Entendo também que a rapidez é confiante, ao passo que a pressa é sustentada pela ansiedade patológica.

Pensar no mundo atual é pensar, entre outros aspectos, em progressos conquistados com rapidez inimaginável décadas atrás. Tanta rapidez que nos tem levado, sub-repticiamente, a entrar em processos de apressamento, de ansiedade patológica. Após a segunda metade do século 20, o Ocidente alcançou notáveis progressos materiais e relacionais, mais os primeiros que os segundos. No que se refere aos progressos materiais, lembro que eles são básicos para a ampliação da vida e da qualidade de vida de que dispomos hoje na maior parte do mundo. Quanto aos progressos relacionais, me parece que, embora nesse aspecto se possam perceber significativas evoluções nas últimas décadas, como previa Carl Rogers (1986), paradoxalmente é na qualidade das relações interpessoais que o ser humano mais precisa evoluir. E precisará, para isso, lidar criativamente com a arte de esperar, a qual, como veremos, muitas vezes se apoia na empatia.

As pessoas, em tese, terão cada vez mais tempo para esperar, pois a expectativa de vida da humanidade cresceu praticamente 170% nos últimos 100 anos. Quem nascia em 1910, tinha uma expectativa de vida em torno de 33,4 anos; para os nascidos em 2016, a expectativa será de 76 anos, aumentando ano a ano, devendo passar de 80 anos antes de 2030. Se pesquisarmos mais, encontraremos progressos semelhantes quanto à redução da mortalidade infantil. Ainda assim, vive-se com mais urgência e com menos paciência (a matriz da espera) e menos empatia do que se vivia quando se esperava viver menos.

Todos os progressos que alcançamos como cultura nas últimas décadas trazem mudanças, alteram o cotidiano, propõem novos horizontes e demandam novas posturas éticas. Quanto mais progredimos materialmente, mais somos desafiados a rever nossas relações conosco mesmos, com os outros, com o ambiente, com o mundo, com o tempo.

Voltando a atenção para a questão da rapidez e da pressa, percebe-se que temos conseguido espantosas melhoras no que diz respeito à qualidade de vida, sobretudo quanto ao conforto e à rapidez. Vou ficar em um exemplo, na área de telecomunicações. Sou de uma pequena cidade de Minas Gerais, Itanhandu. Saí de minha terra natal muito criança, por causa da profissão de meu pai. Naquela época, um gerente de banco não podia morar em uma mesma cidade por mais de quatro anos, de maneira que éramos verdadeiros ciganos, no máximo a cada quadriênio morando em uma cidade do Brasil. Lembro que, por volta de 1962, 1963, morávamos em Ituverava, no estado de São Paulo, distante mais de mil quilômetros de Itanhandu. Quando minha mãe queria falar com minha avó, ela precisava fazer uma ligação interurbana. Pegava o telefone, ligava para a telefonista e pedia uma conexão com o número da minha avó em Itanhandu. A telefonista anotava o pedido e lhe dava uma previsão de tempo de espera, nunca inferior a 12 horas. Minha mãe confirmava que, ainda assim, gostaria que a telefonista tentasse a ligação, e ficava esperando. Às vezes, essa ligação se completava somente no dia seguinte! Há apenas 50 e poucos anos, e entre dois dos estados mais ricos do país! Nem preciso comparar isso com os celulares e a internet de que dispomos hoje, um tempo de instantaneidades. Cada um de nós que tenha mais de 50 anos é capaz de se lembrar de algum espantoso e veloz progresso conquistado a ser comemorado em nosso mundo cada vez mais plugado.

Penso que um dos efeitos não intencionais dessas conquistas com relação ao tempo foi certo domínio que a pressa acabou por ter sobre as pessoas, gerando ansiedade quando deveria

DIALOGAR COM A ANSIEDADE

gerar proximidade, desejo de controle quando deveria gerar aproximações, superficialidade quando deveria gerar intimidade. Esperava-se que, com a melhor qualidade das comunicações, com a maior possibilidade de atualização das notícias sobre o mundo e sobre as pessoas queridas, teríamos um tipo de contato mais afetivo, franco, amoroso, paciente e demorado. Não foi isso que aconteceu. Os contatos vão se tornando mais superficiais e utilitários, mais secos e esquivos, embora mais abundantes. Uma abundância que denuncia carências que são pouco discutidas.

É fato sabido e discutido por muitos que uma das coisas mais importantes para as pessoas é a confiança de que a vida faz sentido. Do ponto de vista fenomenológico, nós, humanos, inevitavelmente tecemos significados para as nossas vivências – ou seja, damos um sentido às nossas experiências, transformando-as em vivências. No correr da vida, da infância até a velhice, uma de nossas fontes de sentido mais importantes é a cultura na qual nos inserimos. Dizendo de outro jeito: as pessoas inevitavelmente buscam um sentido para a própria vida, e essa busca tem um fundamento cultural, em geral apresentado a princípio pela família de origem. O jovem, por exemplo, vai desejar, como sentido existencial, o que a cultura lhe coloca como desejável. Se a cultura lhe diz que o bom é ser rico e famoso, ele desejará sê-lo em alguma medida; o mesmo vale para o caso de a cultura lhe dizer que o bom é ser culto, empreendedor e assim por diante. Desse modo, ao formarmos nossos valores mais essenciais, somos influenciados pela cultura, representada pela família, pela religião, pela escola, pela mídia – enfim, por todas as instâncias culturais capazes de influenciar pessoas. No Ocidente, hoje, de forma sutil e constante, somos treinados a negar a sabedoria de nosso organismo (a fonte da autonomia) em prol de uma adaptação heterônoma.

Nesse processo, o que nossa cultura diz, nas entrelinhas, acerca de valores? Muitas coisas, das quais quero destacar aqui uma que tem relação com nosso tema: a boa vida é baseada na correria. Percebo muito isso em conversas de elevador. Ao encontrar um vizinho no elevador, o comentário que surge, quando não é sobre o tempo, é sobre a correria da vida. "Tenho corrido tanto!"; "Hoje em dia não há tempo para nada!"; "Não consigo parar!", e por aí afora. Há uma naturalização da correria, como se ela fosse boa e inevitável. E ela não é uma coisa nem outra, pelo menos na maior parte do tempo. Mas formou-se um autoelogio repetido em toda oportunidade: eu corro muito, não posso parar, sou uma pessoa ocupada e isso me faz feliz (ou infeliz, depende do tom da narrativa) e importante, mais feliz (ou infeliz) e importante que as outras pessoas. E ninguém se pergunta a sério para que nem se precisa mesmo correr tanto. Correr, respirar de forma esbaforida, acelerar, tudo isso se tornou prova de distinção, fórmula praticamente única de ter progresso neste mundo tão líquido (Bauman, 2001). Mas a que custo!

É óbvio que há momentos nos quais precisamos ter pressa, e não é essa pressa eventual a que me preocupa, mas aquela que praticamente nem é percebida de fato, tão naturalizada que foi. Preocupa-me a pressa vivida como se não houvesse alternativa, como se as pessoas tivessem mesmo de correr tanto, quando, na verdade, essa pressa é mais um preço que se paga para se alcançar alguma notoriedade ou algum privilégio de consumo, desejos seduzidos por símbolos de poder. Preocupam-me também as manobras de racionalização que muitas vezes são feitas para justificar a correria, para disfarçar a ambição desmedida, para legitimar a falta do contato honesto consigo. Na falta desse contato, temos trabalho sem limite, fuga mal percebida da falta de

DIALOGAR COM A ANSIEDADE

sentido da vida que se vive, e a má espera pelo dia da vingança, quando todos os sofrimentos serão compensados e a justiça será feita por meio da tranquilidade financeira ou do amor finalmente alcançado.

Não atentamos para o fato de que momentos Eu-Tu (Buber, 1974) não cabem na pressa nem em meios informatizados e abrimos um espaço oceânico para as relações Eu-Isso, cada vez mais superficiais e fundadas na aparência, desprovidas de empatia e vazias de responsabilidades. O contato se empobrece, como se empobrece a refeição em restaurantes por quilo, nos quais a oferta é tamanha que comemos abundâncias sem nem perceber direito os sabores.

Com essa pressão da pós-modernidade no sentido da pressa, da precocidade (quantos pais não elogiam a alfabetização precoce do filho sem se dar conta de que sua compreensão dos textos estará comprometida no futuro?), com a valorização do concreto em detrimento do simbólico, com a excessiva monetarização da vida social e da vida pessoal, e, especial e delicadamente, com o desenvolvimento da informática, o mundo e as relações se liquefazem, como tão incisivamente apontam Bauman (2001, 2004, 2011), Morin (2013) e tantos outros pensadores atuais.

A informática, se possibilitou conquistas admiráveis, tem papel determinante na nossa relação atual com o tempo e com a espera, pois transmite a sensação de que se pode estar ao mesmo tempo em vários lugares, praticamente em todos os lugares, dando valor a imediatismos, a sensações de que se pode fazer mais do que cada coisa a seu tempo, naturalizando a aceleração ansiosa do cotidiano. O mundo se liquefaz, a vida se liquefaz, as relações se liquefazem. E o líquido nos invade sutilmente, fazendo confundir desejo com necessidade, progresso material com felicidade, troca de mensagens com intimidade, quantidade de supostos amigos com amizade sincera. Esse caldo precisa de coagulantes, atitudes que equilibrem melhor o líquido e o sólido, que possibilitem um adensamento da vida e das relações. Bauman (2011, p. 17) aponta a solitude, entre outras vivências, como um possível meio para se adensar a vida. Morin (2013) acentua a inclusão, a convivialidade e a estética, entre outras virtudes que necessitamos conhecer melhor, revisar e ampliar. Acredito que também a revisão da arte da espera, a busca da espera ativa, tem efeito semelhante e igualmente terapêutico.

A espera de minha mãe ao telefone enriquecia o diálogo a custo conseguido com minha avó. Hoje, se uma mensagem não recebe resposta em poucos minutos, há ansiedade, ressentimentos, sensações de menos-valia. Não, não acho que aquela espera de 1962 seja ideal, mas uso esse exemplo para chamar a atenção para o fato de que estamos trocando rapidez por pressa e não paramos para pensar que a pressa é inimiga da rapidez. A rapidez é desejável, mas, se não dialoga com a possibilidade da espera, torna-se pressa e deteriora o contato, da mesma maneira que um carro rápido, se dirigido com pressa, amplia o risco de acidente. A pressa é afobada, a rapidez é objetiva; a pressa é precipitada, a rapidez é atenta; a pressa é ansiosa, a rapidez é ágil. A pressa luta contra o tempo, a rapidez faz do tempo aliado. Se pressa e rapidez são atitudes diante de situações e da própria existência, podemos dizer que a rapidez é uma atitude embasada no presente, no bom ritmo de passagem entre os tempos, ao passo que a pressa se apoia no futuro – é praticamente estagnada nele –, e talvez essa seja a principal diferença entre elas. Enfim, no mundo atual, quando estávamos a ponto de conseguir mais rapidez, acabamos conseguindo mais pressa; onde esperávamos alcançar calma

Raízes por âncoras, uma troca inevitável

As conquistas materiais da humanidade repercutem no jeito de viver, nas relações que cada um de nós tem consigo mesmo, com os outros, com o mundo e com o tempo. À medida que uma cultura progride materialmente, esse progresso provoca a queda de alguns valores, por obsoletos, e exige o surgimento de novos. Tal processo, historicamente lento, nem sempre é retilíneo e muito raramente é tranquilo. Hoje, no Ocidente, passamos rapidamente por um desses momentos de transição. Há uma série de valores que já não nos servem, mas ainda não desenvolvemos novos que nos acalmem o coração. Vivemos, por assim dizer, uma crise de valores; aliás, fato inerente a todo crescimento. Como humanos, somos sempre em parte conservadores e em parte inovadores, tendo a todo momento nossa coerência desafiada, agora com uma velocidade nunca imaginada. São tempos difíceis estes nossos! Mas, embora difíceis, mantêm um modo de mudança que se repete ao longo da história humana (pessoal e cultural). Há uma tradição que oferece segurança, confiabilidade, certa previsibilidade, e isso tudo possibilita uma estrutura, a qual, por sua vez, abre caminho para necessárias mudanças, dado que também somos seres processuais. Dessa forma, o novo se apoia no velho e o transforma, criando uma nova tradição, que abrirá espaço para um novo processo e novas transformações, infinitamente. Esse é um fenômeno presente em uma cultura e em uma existência pessoal, e podemos notá-lo, por exemplo, nas transformações sofridas pelas relações pais-filhos ao longo do tempo:

se antes os filhos só tratavam os pais cerimoniosa e obediente-
mente por "senhor" ou "senhora", hoje o "você" impera, denotan-
do mudanças processuais nessas relações, as quais, ainda assim,
mantêm a estrutura tradicional da verticalidade, agora mudada,
mas ainda necessária e existente.

No entanto, sempre há aqueles que não conseguem deixar as
introjeções e se tornam tradicionalistas. Estes compõem uma espécie de resistência, movimentos que de tradicionais se tornam
tradicionalistas e, assim, lutam contra mudanças, não aceitam
processos. O tradicionalismo é como um calo no pé da cultura –
atrapalha a caminhada, tornando-a mais dolorida, e às vezes chega
a impedir o caminhar por algum tempo. Mas esses calos têm tratamento e podem ser temporariamente extirpados, até que retor-
nem, exigindo novos cuidados (terapêuticos). Esses movimentos
costumam perder suas guerras, embora muitas vezes cobrem pre-
ços exorbitantes pela derrota. Como exemplo, pensemos nos fa-
natismos religiosos que não aceitam novas hermenêuticas ou novas práticas, ou mesmo em renovações na moral religiosa
decorrentes de mudanças no mundo e na convivência entre as
pessoas. Podemos pensar também nas retóricas que propõem uma
educação isenta de ideologias, como se isso fosse possível, ou
como se isso já não fosse uma proposta por si só ideológica. Pior
ainda, na maneira como se utiliza no Brasil a expressão "ideologia
de gênero", adotada por grupos religiosos radicais como um mote
no combate aos movimentos feministas e LGBTQI+, uma tentativa de evitar mudanças na concepção da família e das identidades
pessoais e grupais, uma moral apoiada fortemente e apenas no dever, que não reconhece a autenticidade e a honestidade como valores. Só falta agora se tentar novamente obrigar as crianças ca-
nhotas a escreverem com a mão direita.

DIALOGAR COM A ANSIEDADE

Ao corrermos os olhos pela história, verificaremos que o nascimento da sociedade capitalista rompeu uma tradição e trouxe uma grande mudança no posicionamento humano diante do mundo e da vida. Antes, havia certa predeterminação à espera do indivíduo quando ele nascesse; ele já nascia com um lugar social determinado e com um destino de certa forma já traçado, de modo que, por exemplo, quem nascesse camponês camponês morreria. Não havia expectativas diferentes disso, e, na prática, tampouco possibilidade de escolha – o enraizamento era quase total. Com o advento do capitalismo, o ser humano já não está mais inserido de maneira aparentemente natural e imutável numa situação social. Pelo menos em tese, ele pode escolher seu lugar no mundo e seus valores. Isso enfraqueceu uma moral baseada nos costumes, na repetição, de geração a geração, dos valores e comportamentos. Dessa maneira, a liberdade, como categoria ética, vive um crescimento perante os outros valores, substituindo, de certa forma, a antiga busca da felicidade como valor supremo. Se antes a liberdade nem sequer era pensada como valor, agora a felicidade depende da liberdade e de sua consequente – e ansiogênica! – possibilidade de escolher (Heller, 1985).

Nossas escolhas são feitas em um ambiente, em uma cultura, em um campo, fatores que influenciam inclusive nossas escolhas de valores pela vida afora. Desse modo, assim como uma cultura muda em função de suas conquistas, mudam também as pessoas nelas inseridas e mudam os valores dessas pessoas e da cultura. Cada novo saber nos coloca diante da obrigatoriedade de escolher, e nem sempre essa escolha é fácil. Pensemos por exemplo na família. Até bem pouco tempo, dos jovens se esperava que, logo que a vida adulta começasse a despontar, tivessem um compromisso heterossexual sério, casamento que só se completaria com filhos e uma boa casa, conquistada por meio de um emprego seguro. A partir dos anos 1960, esse paradigma começou a ser rompido. E deu certo: as pessoas foram encontrando jeitos bem satisfatórios de viver. As que seguiam a antiga trilha perceberam que outro caminho seria possível. Um caminho muitas vezes tentador e assustador. Possibilidades de escolha. Quanto conflito foi vivido por esses precursores! Mulheres que, desquitadas (nem divórcio era permitido), de repente não podiam mais frequentar a casa de amigos; seus filhos eram discriminados; às vezes a própria família de origem as rejeitava. Homens que decidiam não seguir a profissão do pai e eram julgados como fracassados ou, pior, traidores da tradição familiar. Mulheres e homens que pensavam na possibilidade de não se casar – ou, pior!, de não ter filhos. São muitos os exemplos nessa área. Eles nos mostram que a família vem mudando: os casamentos são hoje mais livres, têm novos contratos com maior possibilidade de intimidade e companheirismo. Além disso, padrastos e madrastas, antes exceção, tornaram-se quase regra, assim como os meios-irmãos. Há mais liberdade e, com isso, como já vimos, maior possibilidade de ansiedade.

Nossas escolhas não são feitas APESAR da cultura em que vivemos, mas NA cultura em que vivemos, concordemos com ela ou não. E cada cultura também faz suas escolhas e privilegia determinados jeitos de ser. Nossa cultura ocidental do século 21 é composta de múltiplos e multifacetados saberes. Ela nos obriga a constantes escolhas e torna cada vez mais difícil a sensação de coerência, ampliando o terreno fértil para a ansiedade, notadamente a patológica.

Mudanças culturais sempre existiram, embora mais lentas que as atuais, mas há um fator relativamente novo que pode estar na base da pressa em nosso mundo atual: estamos perdendo as raízes. Elas estão sendo trocadas por âncoras (Bauman, 2011), e esse processo, penso eu, embora doloroso, é irreversível. Quando havia pouquíssima possibilidade de escolha, havia mais raízes. A vida era mais previsível – e a previsibilidade, um valor de alta importância. Especialmente depois da Segunda Guerra Mundial, a redução da previsibilidade do mundo foi pouco a pouco se tornando figura e gerando novas ansiedades. O filho do marceneiro não necessariamente será marceneiro; uma guerra atômica pode liquidar a humanidade; além do novo coronavírus, outros vírus fatais podem se disseminar pelo mundo globalizado de maneira muito rápida, ameaçando populações inteiras; um atentado terrorista pode acontecer na esquina de casa; o desemprego pode surgir repentinamente e ser duradouro; acidentes de carro ocorrem mais com jovens. No plano pessoal, meu conhecimento profissional pode, subitamente, tornar-se inútil; uma máquina pode, repentinamente, ser mais produtiva do que eu; minha profissão pode acabar, por desnecessária; a aposentadoria pode já não ser mais suficiente; uma bala perdida pode estar em meu caminho; o casamento já não é mais para sempre; a identidade já não é mais para sempre; os amigos já não são mais os mesmos; o amor já não é mais eterno. As raízes são arrancadas da terra cada vez mais facilmente, sobretudo em função da mobilidade, da ampliação da liberdade – o cidadão é cada vez mais um cidadão do mundo, cada vez menos o de um país, de um estado, de uma cidade. As ansiedades que as pessoas trazem para o consultório não são as mesmas que eram levadas quando a psicoterapia se tornou saber compartilhável. Sua forma de espera também é diferente.

A tradição (raízes) por muito tempo proveu respostas para dúvidas, escolhas e ansiedades. Era só fazer como sempre se fez, como seus pais fizeram, como seus avós fizeram, como seus antepassados fizeram. Isso acalmava, ao mesmo tempo que limitava. Ou acalmava porque limitava com um impedimento externo. A escolha, boa ou má, já estava feita. Esperar era muito mais fácil, dado que (imaginava-se!) os desafios da vida mostravam-se mais previsíveis e, ao menos em parte, já tinham sido resolvidos pelas gerações anteriores. As raízes eram confiáveis – bastava seguir os livros antigos.

Mas o mundo se liquefez quase imperceptivelmente e, ao mesmo tempo, novas hermenêuticas surgiram na onda de inovações, referências apareceram e conquistaram lugar, desacomodando corações e mentes. Tornou-se cada vez mais tentador soltar correntes, despregar raízes, saborear liberdade. Ante a renovada ansiedade, como impedir que ela se torne patológica? Que seguranças podem dar suporte? As raízes, como antigamente? Mas as raízes já não são profundas o bastante para nutrir a coragem, a casa paterna foi vendida, demolida e em seu lugar há um edifício novo. Para certas escolhas, determinadas raízes se tornaram mesmo inúteis, dado que são velhas respostas que não atendem a novos problemas. Mas há algo a se atentar: o abandono das raízes, ou sua troca pelas âncoras, não significa invalidá--las, mas manter seu sentido simbólico com outra concretude. Honrar o antepassado já não é mais repeti-lo, mas fazer criativamente diferente do que ele fez. O prato tradicional da avó ganha novo tempero e, portanto, novo sabor, mas ainda é o prato da avó. Em outros termos, as raízes que se tornam âncoras continuam dando sustentação aos valores mais norteadores, pois, mais do que nunca, continuam sendo símbolos – e os símbolos não morrem, dado que podem se transformar. Por exemplo, se a raiz "família" continua a ser núcleo importante de identidade, ela

DIALOGAR COM A ANSIEDADE

hoje, âncora, não se circunscreve apenas a ter como base casais heteroafetivos, mas abarca também casais homoafetivos, além de outras formas de aglutinação que a criatividade humana engendra com esperança e coragem.

Assim, se alguma segurança é necessária, algum adensamento é necessário; por mais que o líquido prevaleça, acabou por restar às pessoas a segurança das âncoras, o mais assemelhado a raízes que nossos tempos possibilitam. E, se as raízes davam sentido à vida e às experiências vividas, agora quem contém esse sentido são as âncoras. Com uma diferença fundamental: as âncoras são mais facilmente removíveis ou transformáveis e, por isso, permitem maior mobilidade, flexibilidade e criatividade. Ao mesmo tempo, porque móveis, são menos confiáveis. Resistirão às tormentas como as raízes prometiam resistir? Não há resposta ainda. Mas não há alternativa. É impossível voltar às raízes: há que se ajustar criativamente às âncoras. E aprender a ter prazer, sentido e segurança suficientes para que a ansiedade seja apenas saudável. Um dos pontos sensíveis, para o melhor e para o pior, a essa troca das raízes pelas âncoras é a esperança. A esperança--âncora tem um sentido diferente da esperança-raiz, dado que o horizonte que se configura ante cada uma dessas esperanças é diferente. Na âncora há um horizonte maior, que precisa ser buscado sem a certeza, às vezes nem sequer a confiança, de que há para onde voltar; na raiz há um horizonte mais limitado e uma retaguarda mais sedutora.

A ansiedade e a esperança

ENQUANTO EU ESCREVIA ESTE texto, a ideia da troca das raízes pelas âncoras me calou fundo mesmo, pois reafirma esperanças que trago em mim pelo menos desde a adolescência. As esperanças dessa época da minha vida me encaminharam para a psicologia humanista, a área mais esperançosa da psicologia, e, nela, para a Gestalt-terapia. Pensar em um ser humano capaz de se criar ao longo da vida e em meio às ansiedades inerentes a ela, capaz de gradativamente ampliar sua autonomia, de ter bom ritmo entre experiências solitárias e experiências grupais – capaz, enfim, de ampliar suas capacidades e potencialidades ao longo da existência – para mim era pensar conectado com a vida, coerente com o que eu percebia no mundo. Compreender o processo de amadurecimento humano como um delicado esforço, cheio de vaivéns, no sentido da independência relativa sempre me encheu de esperança, sobretudo porque eu percebia essas forças em mim e em muitos outros para quem o ambiente provera condições suficientes para que esse esforço fosse empreendido com sentido e eco.

Já na minha juventude eu não via compatibilidade entre essa visão de ser humano e um apego às raízes, pois entendia que elas mais aprisionavam que davam continência, mais limitavam potenciais que delimitavam competências, mais produziam tradicionalismos que irrigavam e arejavam tradições.

Se as raízes podiam fomentar imobilidades e repetições em troca de segurança, as âncoras prometem uma segurança vívida e fluida, fomentadora de estabilidades relativas e, por isso, mais próximas daquilo que de fato vivemos no cotidiano. Se as raízes eram construções históricas, prendiam o olhar no passado, só timidamente vislumbrando o futuro, um futuro repetição. Se as âncoras respeitam o tempo vivido, se dão uma segurança relativa, elas não prescindem do passado, pois devem ser jogadas onde tenham aderência suficientemente sólida, mas não rígida em

DIALOGAR COM A ANSIEDADE

demasia. Porque podem ser recolhidas, elas olham com mais esperança para o passado, honrando-o, respeitando-o e aprendendo com ele, da mesma forma como olham para o futuro
responsabilizando-se por ele a partir do agora, não só do ontem.
Se as raízes se dão bem sobretudo em meio sólido, às âncoras
compete o sólido em meio ao líquido, ou melhor, sob o líquido,
em diálogo com ele.

As raízes nos lançavam em ansiedades menos esperançosas, menos excitadas, ao contrário das âncoras, que nunca fecham as portas para a mudança, notadamente a mudança paradoxal (Beisser).

Enquanto escrevo sobre essas duas bases existenciais, as raízes e as âncoras, a todo momento me vem a lembrança de uma
fábula de La Fontaine chamada "O carvalho e o junco".

Conversando certo dia disse o carvalho ao junco:

– Você tem bons motivos para reclamar da natureza. Até um
passarinho é um fardo pesado para você. Um ventinho à toa
que faça a superfície da água enrugar, obriga você a cabeça baixar. Por outro lado, minha fronte, não contente em segurar os
raios do sol, enfrenta bravamente a tempestade. Para você
tudo é vento violento, para mim, brisa suave. Se você nascesse
abrigado pela folhagem com que eu cubro a vizinhança, não
iria sofrer tanto: eu defenderia você da chuva. Mas vocês costumam nascer nas bordas úmidas do reino do vento. A natureza, apesar de tudo, com você parece injusta.

– Sua compaixão – respondeu o arbusto – é sincera, eu sei,
mas não se inquiete: para mim, os ventos não são tão terríveis:
eu me curvo e não me quebro. Você tem esse corpo grande e
resiste sem entortar, mas espera o fim chegar. Enquanto

diziam essas palavras, lá no horizonte furiosamente surgiu a mais terrível das tempestades que os ventos do norte podiam trazer. A árvore tentou resistir, o junco se curvou. O vento redobrou seus esforços. E tanto fez que destruiu aquele que tinha o céu como vizinho de cima e as raízes no andar de baixo.[5]

Na versão de que me lembro, a moral do final da fábula – que não vemos nessa versão recolhida na internet – dizia algo como: "Seja como o caniço que se verga ante as dificuldades, e não como o carvalho que se quebra diante do vento forte". Para mim, a âncora se assemelha ao caniço, e as raízes, ao carvalho. O caniço me lembra a abordagem gestáltica. O caniço, flexível, responde às exigências da vida com os recursos de que dispõe no momento; o carvalho, com os recursos herdados da história e com pouca capacidade de fazer ajustamentos criativos. O caniço tem esperança, o carvalho, certezas e arrogância. Por isso, a ansiedade do caniço está mais próxima de ser saudável que a do carvalho. Porque, se ambas as ansiedades miram o futuro, uma o faz com suficiente esperança e a outra, com insegura certeza.

Quando pensamos na arte da espera, essa diferença fica ainda mais visível. O caniço-âncora cede e espera a tempestade passar; o carvalho-raiz, temerário, desconsidera o risco. O caniço dialoga com a tempestade, o carvalho a enfrenta. O caniço brinca, o carvalho compete. Vivem ansiedades e esperanças diferentes.

Penso que, em tempos nos quais substituímos gradativamente as raízes por âncoras, um processo irreversível em nosso

5. *As mais belas fábulas de La Fontaine*. Ilustrações de Gauthier Dosimont. São Paulo: Impala, 1998, p. 16-21.

DIALOGAR COM A ANSIEDADE

mundo globalizado, a despeito dos esforços contrários de alguns tradicionalistas, sutilmente ampliamos também a esperança, uma das melhores formas de transformar ansiedade patológica em ansiedade saudável. Mas aqui é preciso um cuidado muito especial: essa esperança só é curativa quando ativa e fundada na realidade, isto é, quando explicitamente se espera do outro aquilo que está ao seu alcance. Do contrário, essa expectativa pode ser vivida pela outra pessoa como descaso, desconsideração, abandono, como não cansam de nos mostrar adolescentes cobrados implicitamente por uma autonomia que ainda não podem atingir.

Olhando de maneira mais ampla, no entanto, percebemos que, mesmo que não seja um processo retilíneo, as pessoas têm se tornado mais autônomas em nossa cultura, ainda que estejamos longe de ter uma boa dose de autonomia em todas as classes sociais. Essa notória ampliação da autonomia é boa e exige cuidados além dos que já mencionei, especialmente aquele que nos obriga a lembrar que autonomia depende de amadurecimento, o qual, por sua vez, é conquista que se faz ao longo do tempo, ao longo da vida.

A autonomia não se desenvolve sem uma dose de segurança, de confiança, embora prescinda das certezas. Essa segurança tem duas fontes: o autossuporte e o suporte ambiental, as quais veem seu poder invertido ao longo da vida, isto é, quanto mais amadurecemos, mais cresce nosso autossuporte e menos necessitamos do suporte ambiental. Por mais que amadureçamos, no entanto, jamais poderemos abdicar deste último para compor nossas esperanças e seguranças.

Penso que encontrar segurança na ancoragem em vez de no enraizamento é um dos mais importantes e interessantes desafios da atualidade. A vida requer nova consciência, nova ética, novas coragens, as quais precisam de paciência, de espera ativa, para desabrochar no espaço que ainda lhes é potencial e que, neste final da segunda década do século 21, sofre assustadores ataques em várias partes do mundo ocidental, sobretudo por dois lados: por um, com o crescimento de ideologias eugenistas e contrárias à diversidade, os tradicionalistas sobre quem já comentei; por outro, o sutil e sedutor incentivo para que se vivam como urgências desejos que, por serem desejos e não necessidades, na prática nem são tão urgentes assim.

Imediatismos, urgências, ou
"aproveita porque vai acabar logo"

Novas ansiedades, novas necessidades e novas formas de espera. A espera agora mais ameaçada pela ansiedade, ampliada pela consciência dos limites cada vez mais estreitos de previsibilidade da e na vida. A pressa instiga a viver tudo, a viver o mais possível e o mais intensamente possível, pois tudo pode acabar em segundos. Imediatismos. Doloridos e tentadores imediatismos são incentivados, especialmente pela economia. O computador fica obsoleto em um ano, o celular em seis meses, o carro modelo 2022 é vendido a partir de março de 2021. Dia desses, vi uma propaganda na TV que me pareceu típica dos nossos tempos: anunciava-se um pó alimentar, que deveria ser misturado com água e substituiria as refeições, "para que você tenha mais tempo para si mesma". Preparar a comida, almoçar saboreando-a, para quê? É perda de tempo. Com igual perigo, já há quem defenda que uma sessão de psicoterapia durar uma hora é exagero, pode ser feita em trinta minutos, se tanto...

DIALOGAR COM A ANSIEDADE

O aqui e agora tão caro à Gestalt-terapia adquire um sentido diferente daquele proposto pelos iniciadores da abordagem gestáltica e por algumas religiões. Ele se veste de um olhar inconsequente para o futuro em vez de ser uma concentração responsável no vivido a cada instante. Para muitos, viver o aqui e agora é negar a fruição pelo tempo, é concentrar-se nesse exato momento como se não houvesse amanhã, retirando dele toda a seiva que se queira, mesmo que ele não a possa dar. É tomar do chão, com violência e sem ética, o que é um broto, um potencial. Porque a vida urge, os desejos clamam e não podem negociar. Enfim, é um aqui e agora aflito e cada vez mais irresponsável, fruto de certa incapacidade de lidar com a frustração, sobretudo a frustração dos desejos. Impulsividade é o que resta, e ela alimenta a pressa. Espera e solidão, suportes fundamentais para se lidar com as frustrações de nossos desejos, têm cada vez menos valor na sociedade, na qual somos cada vez mais descartáveis em nossas líquidas e ansiosas relações.

A capacidade de concentração, matriz da aprendizagem pela descoberta, vem há muito sendo trocada pela capacidade de repetição. Repetição sem reflexão, sem atenção à sabedoria intuitiva organísmica. Explicação cada vez mais se sobrepondo à compreensão. No peito, dolorosos vazios a exigir ruídos, muitos ruídos. Na sala de aula, não se desligam os celulares, pois alguma urgência pode chamar. Mal o avião pousa e já se ouvem os agoniados sons do WhatsApp a anunciar imprescindíveis comunicações. O almoço em restaurante se faz de olho na TV e/ou no celular, o corpo sendo distraído ao receber o necessário alimento. Esperar vai se tornando um dom cada vez mais raro, assim como a capacidade de concentração. O silêncio mais angustia que conforta, se é que ainda conforta. A ansiedade saudável perde bastante espaço para a patológica, praticamente na mesma medida em que a comida industrializada toma o lugar daquela feita em casa.

Um dos mandamentos mais fortes em nossa cultura narcisista é o hedonismo. Entendo-o como uma ideologia que defende que o prazer é o bem supremo, a finalidade e o fundamento da vida; prega que se deve ter o maior prazer possível a cada momento, com pouca atenção às consequências de cada ato. A vida abundantemente vivida é confundida com a vida inconsequentemente vivida.

O prazer é importante, fundamental na vida, mas não é sua finalidade. O prazer é meio, um dos melhores meios, mas não o único. A finalidade da vida são as relações, o desenvolvimento ao máximo dos potenciais de cada pessoa em sua relação com os outros e com o mundo. Quando uma cultura coloca como máxima suprema o "apenas goze a vida", há um buraco nela. Porque, se a vida é gozo, ela é também, talvez até principalmente, a difícil assimilação das frustrações tantas a que estamos sujeitos desde que nascemos. Em nossa cultura, o hedonismo se manifesta – sobretudo para os mais jovens – no constante fazer. É preciso ação, movimento, agitação para que uma pessoa se sinta viva. A hiperestimulação é desumanização e logo se torna compulsão, como veremos quando eu comentar sobre ritmo e pausa.

No aqui e agora de nossos tempos o futuro praticamente só aparece como projeto, como meta, raramente como horizonte. As metas são elogiadas; as esperanças, não. As metas são necessárias, é certo. Mas são melhores quando em diálogo com os horizontes. Entendo por projetos (ou metas) os sonhos alcançáveis, aquilo pelo que nos esforçamos conscientemente por determinado tempo. Ao menos em tese, os projetos são exequíveis por meio de ações humanas. São fruto de uma mirada desejosa para o futuro e dos movimentos em direção à realização possível desses desejos. Serem alcançáveis é a principal diferença dos projetos em relação aos horizontes, pois estes últimos são inalcançáveis – quando se chega ao horizonte, ele já não está mais lá: já nos chama de mais além. Assim, o projeto é concretude, o horizonte é abstração. O horizonte alimenta a espera ativa, de modo que, sem ele, só resta ao projeto a espera angustiada derivada da ansiedade patológica. O projeto me diz da profissão que escolho ter; o horizonte aninha o profissional que sou. O projeto se apoia na moral; o horizonte, na ética. O projeto almeja o sucesso; o horizonte, a realização. Quando horizonte e projeto dialogam com calma, fazem nascer no coração a possibilidade da espera habilidosa, o trato amoroso e confiante com o tempo, o qual, por sua vez, dá suporte para que se viva com um bom ritmo, ora orientando-nos pelo fazer, ora pelo ser, ora ruidosos, ora silenciosos, ora produtivos, ora ociosos.

A pausa é potencialmente geradora de ansiedade

A pausa é fundamental para a música, que nem existiria sem ela, assim como é fundamental para a vida, que do contrário fica robótica. A pausa é, entre outros aspectos, o momento da solidão. Ou da solitude, como prefere Bauman (2011, p. 17): "Essa sublime condição na qual a pessoa pode 'juntar pensamentos', ponderar, refletir sobre eles, criar – e, assim, dar sentido e substância à comunicação. Mas quem nunca saboreou o gosto da solitude talvez nunca venha a saber o que deixou escapar, jogou fora e perdeu".

A fuga à solidão, a impossibilidade do enfrentamento da solitude, é um ato alimentador de más ansiedades. A busca de um bom ritmo entre solitude e presença em grupos alimenta a boa ansiedade, além de incrementar a criatividade. Um bom ritmo entre contato com o outro e consigo, contato com o mundo externo e com o interno, é necessário para que se viva suficientemente bem. Há variações pessoais: alguns precisam mais de contato consigo que com o outro, outros precisam de mais contatos externos que internos, mas todos necessitam de ritmo entre esses contatos – um ritmo sempre pessoal, cuja percepção precisa fazer parte do autoconhecimento, sobretudo para gerar respeito com a necessidade do momento. Quem tem uma boa consciência do próprio ritmo tem maior probabilidade de se respeitar e de, autonomamente, decidir com mais clareza a hora da solitude e a hora da presença em grupo, prevenindo, assim, evitações desnutrientes e condutas heterônomas em excesso. Numa sociedade extrovertida como a nossa, a pausa é sobretudo a pausa ante o outro, a possibilidade de ficar só quando é hora de ficar só – e sentir-se bem com isso.

Hoje, a pausa não é uma questão suficientemente debatida, que dirá incentivada. Vivemos um mundo em que a pausa, a solidão e a contemplação não têm espaço suficiente. O mundo do fazer, do apressadamente fazer, que ainda não descobriu a diferença enorme entre a pressa e a rapidez. E que, no mínimo, tem imensa dificuldade de lidar com o ritmo entre ser e fazer, privilegiando o fazer como um servo privilegia o senhor.

Agitar-se prazerosamente é bom e saudável, desde que não se perca a capacidade de aquietar-se e contemplar as estrelas. Cada coisa na sua hora. A vitalidade, a vida em abundância, vem do ritmo entre ação e contemplação, agitação e quietude, pensar e sentir, ser e fazer. Na nossa cultura hedonista a hora da quietude é sempre adiada em prol do máximo proveito do prazer advindo da ação. A ação excessiva se torna ação compulsiva, de maneira que a pessoa acaba como que dominada pelos sentidos, reduzindo sua capacidade de reflexão e de cuidar-se.

Nos meus apontamentos sobre a relação entre ansiedade e pausa no que diz respeito aos meus clientes, não faltam exemplos. Olhando-os com cuidado, percebo que esse encontro se dá mais claramente de duas maneiras: a pessoa ansiosa que não pausa porque se fundamenta em seu egotismo e a pessoa ansiosa que não pausa porque teme a solidão ou procura se defender de um sentimento de culpa. Há outras maneiras, mas vou enfocar essas duas, que me parecem as mais comuns e importantes.

O ansioso que não pausa porque apoiado em seu egotismo vive cotidianamente uma motivação própria para o movimento, para a agitação: as chaves aqui são o poder e o controle. Precisam ter a vida e os próximos sob controle, o que acaba por dificultar a vivência das pausas, pois é exatamente nelas que o outro pode escapar do controle e descobrir o próprio poder. A pausa é o momento do fechamento, do esgotamento de uma Gestalt, e tende a ser vivida como um doloroso e assustador vazio. Este, na ansiedade patológica, é vivenciado como algo a ser evitado, o que se faz emendando-se uma atividade na outra, uma competição na outra, uma desavença na outra, uma incompreensão na outra, um adoecimento no outro; na ansiedade saudável, tal vazio pode ser vivido como momento de fertilidade, de oração e de contemplação, de silêncio restaurador, de intimidade renovadora.

Tais pessoas tendem a sustentar a política e a autoridade estabelecidas, preservando o *status quo*. Sua saúde e seu bem-estar tornam-se secundários, a atenção mais centrada no polo do fazer, da ação ansiosa. De certa forma, há uma inflação egoica que favorece que a pessoa viva dificuldades para perceber e lidar com seus limites, ter a humildade como um horizonte valorizado. A vida é um rock pesado que não tem hora para acabar e, muitas vezes, só é suportável com o auxílio de drogas que ajudem a minimizar a ansiedade patológica.

Aqueles que vivem esse tipo de relação com a pausa raramente aparecem em terapia – também um momento de pausa –, a não ser quando vivem uma crise grande e potencialmente transformadora. Foi o que aconteceu com um paciente que acompanhei certa vez, que me procurou depois de uma forte crise de alcoolismo e de um tratamento para esse mal em uma clínica especializada. De meus apontamentos no início do trabalho: "Não traz uma queixa específica, mas acha que foi encaminhado para a terapia por problemas de disciplina. Arildo (nome fictício) me parece ser um daqueles que os operários chamam de "boca dura", orgulhoso e confiante em seus pontos de vista, pouco afeito a baixar a cabeça diante de um superior e até mesmo de dialogar quando em desvantagem hierárquica. Conta, com relativo orgulho e alegria pueril, respostas 'malcriadas' que teria dado ao superior, bem como provocações que lhe teria feito, cobranças fora de hora e de tom". Nesse atendimento, também em psicoterapia breve, definimos como foco de trabalho a questão da autoridade, pois me parecia – e ele concordava comigo – que, na falta de saber lidar com a autoridade, Arildo se tornava muito autoritário por um lado e muito rebelde por outro. De meus apontamentos: "Na sessão desta semana, trabalhamos a identidade *workaholic* de Arildo. Nitidamente, ele é um homem dominado pelo fazer, com pouquíssimo

DIALOGAR COM A ANSIEDADE

espaço pessoal para o ser. Sugeri, como lição para casa, que ele procurasse fazer um passeio por São Paulo, o que ainda não foi cumprido. É-lhe muito difícil entrar em contato com a dimensão ser da vida".

Mais para o fim do processo terapêutico, trabalhamos um sonho, que despertou em Arildo lembranças acerca de um colega de trabalho que era o oposto dele. Conta que os dois estavam sempre discordando um do outro: "Ele era Collor e eu era Lula". Esse colega falecera havia alguns anos e Arildo fizera uma fala de despedida na cerimônia de adeus, emocionando-se muito. De meus apontamentos: "Ele relata com grande emoção situações vividas com esse colega, e nós trabalhamos no sentido de que poderia haver no colega alguma habilidade que Arildo precisaria desenvolver. Ele destaca a imensa capacidade que o amigo tinha para lidar com a hierarquia e sua facilidade de se fazer obedecer docilmente até pelos superiores. Terminamos a sessão falando sobre nosso foco: a autoridade e as relações hierárquicas". Esse paciente, como é comum em pessoas com esse estilo de personalidade, não retomou a terapia depois de um período de férias, talvez porque tivesse se aproximado muito do vazio e sentisse que ainda não tinha suporte suficiente para explorá-lo e transformá-lo em um vazio fértil – possivelmente foi vencido pela ansiedade patológica.

O outro modo de dificuldade com a pausa diz mais respeito ao temor da solidão, temor da desconsideração por parte daqueles com quem convive. São pessoas tão dedicadas ao outro que acabam por esquecer-se de si. Isso aconteceu com um padre que me procurou para terapia depois que teve uma crise imensa, na qual perdeu o controle e só se deu conta de si quando se percebeu aos gritos, dando bronca em pessoas que estavam na fila da confissão, dizendo que elas exigiam muito dele, que não lhe davam tempo nem para descansar. Assustou--se com sua reação e compreendeu que era hora de se cuidar, pois ultrapassara todos os limites de equilíbrio entre cuidar do outro e cuidar de si. Esse foi um trabalho breve e belo, no qual, basicamente, o paciente aprendeu a se ouvir e, com isso, a se respeitar. Lembro que, próximo do fim do período combinado para a psicoterapia breve, ele resolveu aproveitar que ia ajudar um padre amigo numa paróquia no interior para se testar. Voltou alegre e satisfeito, pois conseguira, sem sacrifício nem culpa, disciplinar o horário das confissões, dar-se tempo suficiente para o almoço e só então retomar o trabalho de ouvir os fiéis que se preparavam para as cerimônias da época. Nesse caso a ansiedade passou a ser vivida de modo saudável e as pausas foram saboreadas como bons temperos do cotidiano. A partir daí, esse paciente pôde viver seu ministério de uma maneira na qual o fazer nasce do ser, e a ação, da contemplação, pois a pessoa está mais humanizada.

Um dos possíveis efeitos do bom contato com a pausa é uma melhor espera para a pausa final, o momento em que a existência se findará, talvez a mais importante e mais difícil espera – a espera pelo fim, o lugar do contato com a mais profunda das ansiedades.

Esperando a morte chegar

Neste mundo de dificuldade de lidar com a espera, não admira que a espera pela morte seja praticamente um assunto proibido. Mas precisamos falar sobre ela, pois sem morte não há vida. O fato de sabermos que morreremos um dia, aliado a não

DIALOGAR COM A ANSIEDADE

sabermos quando, coloca a morte em um ponto central da vida, o ponto do sentido. Embora procure o sentido por toda a vida, só poderei conhecê-lo à beira da morte e, assim mesmo, só se estiver bem consciente nesse momento, o que é para pouquíssimos (Frankl e Lapide, 2013). Até que isso aconteça, buscamos acreditar que a nossa vida tem sentido; provisoriamente damos sentido a ela – e é bom mesmo que ela nos confirme esse sentido temporário e necessário –, mas saber, saber mesmo, só na hora da morte. Temos nesse ponto um dos mais ricos paradoxos da existência, a espera que não é espera. A morte não se espera, ela é certa, e, já que é assim, no cotidiano a esquecemos. Mas ela está presente, colorido mais importante do fundo que faz da vida a figura realçada. Não há figura sem fundo, de modo que acabamos por precisar da morte e do morrer para compor o sentido da vida e do viver.

Viver é, de certa forma, esperar a morte. Espera ativa e viva que acontece entre o nascimento e o morrer. Não sabemos se havia algo antes da vida nem se algo haverá depois dela, só temos mesmo esse intervalo terreno entre dois "não sei". E a vida bem vivida tem este paradoxo na lida com a morte e o morrer: algo está negado e inexoravelmente presente ao mesmo tempo. Como nossos batimentos cardíacos. Como a circulação do sangue. A morte é um dos nossos mais ricos potenciais, pois desperta todos os outros – se não morrêssemos, para que cuidar da vida? Se tivéssemos toda a eternidade para viver, tudo ficaria para depois. Sem a morte não haveria sexo. Então, porque esperamos a morte, crescemos, amamos, desenvolvemo-nos, desfrutamos da existência antes que ela chegue. Mas sempre com uma ansiedade apontada para ela.

A morte está no horizonte mais nítido e certo. Não é possível prever quando a encontraremos. Esperamos por ela a vida toda. Então, precisamos compreender essa espera para que possamos fazer dela fonte de crescimento e de sentido. Não pode ser uma espera sempre consciente, mas é preciso que haja momentos em que essa consciência esteja presente, pois sem eles não há como compor sentido para o intervalo de existência. O fundo, para ser significativo, precisa tornar-se figura eventualmente; assim ele volta fortalecido a ser fundo, alimentando-se desse ritmo como o amor se alimenta do olhar.

Aqui a pressa é letal. Há pessoas que não toleram a espera e apressam a morte, o que é uma pena. Penso que lhes falta a virtude da curiosidade, outro dos alimentos da boa espera. Certamente um dia cada um de nós descobrirá o que é e como é morrer. Ninguém escapa disso. Então, para que apressar esse conhecimento? É muito melhor olharmos com curiosidade para a vida, pois ela é sempre desconhecida e imprevisível, por mais tempo que a gente viva. A vida nunca perde a capacidade de nos surpreender se nos entregamos a ela e esperamos. Isso se não tentamos controlá-la, se tratamos apenas de cuidar dela, se evitamos ao máximo as evitações. Se vivemos com coragem. E coragem ante a vida é também coragem ante a morte, como bem demonstraram poetas, religiosos e filósofos ao longo dos séculos. Mas há quem não os tenha lido ou ouvido, e esses, tão numerosos hoje, lidam com o misterioso diálogo entre vida e morte de maneira simplista.

Há muitos que, por exemplo, defendem que nossos problemas cotidianos poderiam desaparecer se soubéssemos que morreríamos na semana que vem. Já que vou morrer mesmo, para que me preocupar com atribulações? Isso me parece de um simplismo assustador, a negação de uma das mais belas capacidades humanas: o poder de buscar e criar sentido para o vivido e se orientar por isso. Um poder que deriva do cuidado com a dialética vida-morte-vida à qual estamos destinados (Estés, 1995). O argumento que essas pessoas usam desqualifica o vivido agora, negando a paradoxal incerteza da morte (quando? como?), como se tal incerteza não fosse crucial para as melhores realizações humanas. Busca-se negar o futuro incerto tomando-o como certo. Pretende-se enfatizar o aqui e agora, mas o que se consegue é a negação do lá e então como, igualmente, lugar de crescimento. Desqualifica-se ainda a busca de sentido existencial, o qual fica reduzido a preocupações tolas. Toca-se aí numa das fantasias humanas mais comuns, presente em inúmeras obras, desde filmes até livros, a ideia de que a vida prescindiria da morte. Mas como, se uma é que dá sentido à outra? Somos destinados a viver imersos na dialética vida-morte-vida, dilema humano inescapável e matriz da doação paciente e paulatina de sentido à vida.

A morte de uma pessoa é também um ato no campo, o qual não se esgota na estrita individualidade. Como isolar uma pessoa do campo? Ainda que tomemos a morte como o final definitivo e como a definitiva não responsabilização para com a continuidade da vida, mesmo assim temos de nos debruçar sobre a vida até seu fim, confiantes em que, dentre outras coisas, nossa história e exemplo honrarão a memória e permanecerão vivos nos grupos de pertencimento, independentemente de qual destino possamos ter ao morrer.

Não é negando a morte e o morrer que esperamos da melhor forma, mas é tendo-os presentes que nos arriscamos a viver com mais coragem e plenitude. É assim que podemos esperar o morrer vivendo de modo frutífero e responsável.

Concluindo, espero ter mostrado que a espera e a ansiedade podem ir ao encontro uma da outra de forma rica e fértil para a existência humana. Quando em bom contato, podem promover crescimento bem sustentado, apoiado na percepção sábia de que tudo tem seu tempo próprio, e de que há tempo para tudo que precisa ser vivido.

8. O manejo das vivências de ansiedade em psicoterapia

"[...] A definição de saúde mental precisa ser alterada para viver sem ansiedade paralisante, mas viver com a ansiedade normal como um estimulante para uma existência vital, como uma fonte de energia e como um fato de intensificação da vida."

(MAY, 1987, P. 34)

O DICIONÁRIO NOS ensina que "manejar" tem o sentido de cuidar com as mãos, de tocar para trabalhar com, de administrar. É com base nessas acepções da palavra que tratarei do manejo psicoterapêutico das vivências de ansiedade aqui. Entendo que a maneira como o terapeuta toca seu cliente e a situação terapêutica, simbólica e concretamente, deve contribuir para que este integre suas vivências de ansiedade e transforme a ansiedade patológica em saudável e, então, em medo, abrindo espaço para alguma ação que lhe possibilite lidar com situações inacabadas e retomar seu processo de autoatualização de maneira mais vívida.

Há um alerta inicial interessante: quando essas situações inacabadas têm relação com a ansiedade, nem sempre o melhor manejo é fechar essas *Gestalten*, pois muitas vezes o fechamento poderia ser prematuro. Almeja-se a ampliação da capacidade da espera do momento certo em que aquela Gestalt possa ser fechada, o que nem sempre depende apenas do sujeito, mas é uma cocriação entre ele e o campo.

Obviamente, o manejo de que trato aqui não se refere exatamente à ansiedade, mas às vivências de ansiedade por parte do cliente e por parte do terapeuta. As reflexões que desenvolverei aqui dizem respeito a vivências de ansiedade na situação terapêutica e a relatos de ansiedade no cotidiano da pessoa em terapia. Penso que esse manejo é norteado por quatro eixos principais: 1) como a ansiedade é vivida ou relatada pelo cliente; 2) o sentido do sintoma segundo o pensamento diagnóstico processual; 3) o estilo de personalidade ou modo de ser preponderante do cliente; 4) a visão de ser humano e o conceito de saúde da abordagem. Comentarei brevemente cada um desses eixos.

Como a ansiedade é vivida ou relatada pelo cliente

Nós NÃO TRATAMOS A ansiedade, assim como não o fazemos com outras patologias, como já expliquei. No que diz respeito à psicopatologia, trabalhamos com pessoas que vivem comportamentos que repetidamente geram sofrimento nelas e naquelas com quem convivem. Trabalhamos com vivências, não com patologias, embora possamos utilizar a conceituação da patologia para compreender melhor as vivências patológicas e as saudáveis. O próprio conceito de ansiedade saudável ou patológica nos ajuda a compreender como o indivíduo está vivendo sua ansiedade, mas essa vivência não pode ser reduzida ao conceito, assim como uma receita não é o alimento cuja confecção orientará. Dessa maneira, uma das artes que um terapeuta deve desenvolver é a de utilizar o conceito teórico como ferramenta de compreensão do cliente, jamais fazendo da teoria uma cama de Procusto. O Gestalt-terapeuta não trata, por exemplo, da síndrome do pânico, mas cuida de pessoas que sofrem o que nossa cultura psicopatológica conceitua como síndrome do pânico. Isso se dá principalmente porque a vivência de Joaquim será sempre diferente da vivência de Juca, mesmo que ambas possam ser descritas por um mesmo conceito – cada um tem sua intencionalidade, de modo que cada um construirá seu próprio e original significado para o vivido.

Numa situação terapêutica, a ansiedade pode ser vivida ali, naquele momento, ou relatada como algo vivido pelo cliente no cotidiano. Essas duas possibilidades ensejarão dois manejos diferentes, ambos potencialmente pertinentes e úteis. No primeiro caso, a pergunta que nos orienta é: "O que está acontecendo agora?"; no segundo, são duas as primeiras perguntas orientadoras: "Como você viveu isso que me relata?" e "Como você está vivendo agora este relato?" Dessas questões emergirão outras no diálogo terapêutico, impossíveis de ser previstas aqui, pois elas se orientarão mais pelo que acontece entre terapeuta e cliente que por possíveis respostas deste último.

O trabalho mais efetivo com as ansiedades vividas não se dá a cada momento ansioso ou a cada momento de relato de vivência ansiosa, por mais importante que seja esse manejo. O que faz muita diferença em um processo psicoterapêutico, seja em psicoterapia breve ou em terapia sem fim determinado a princípio, é o vivido por meio da repetição cuidadosa e honesta por parte do terapeuta de condutas baseadas no tripé tão bem proposto por Carl Rogers: aceitação positiva, empatia e congruência, como veremos mais adiante. Isso porque não nos interessa primordialmente o episódio de ansiedade, mas seu sentido no todo da vida daquela pessoa naquele momento de sua história. A compreensão desse sentido não se constrói de imediato, é fruto de pacienciosa digestão. E isso nos leva ao segundo eixo.

ÊNIO BRITO PINTO

O sentido do sintoma segundo o pensamento diagnóstico processual

COMO JÁ DISCORRI SOBRE isso ao longo deste livro, farei aqui uma breve síntese. O sofrimento psicopatológico, no nosso caso aquele relacionado à ansiedade, é um sinal de que a pessoa precisa fazer uma mudança em sua vida, de que deve atualizar um valor ou um conjunto de valores que norteiam suas adjetivações. Há um potencial que antes não podia ser realizado e agora pode.

Um dos sentidos mais importantes do sofrimento patológico, então, é chamar a atenção para essa mudança, é apontar como e em que áreas da vida ela se pode dar. Por mais experiente e brilhante que seja um terapeuta, não há mágica na compreensão desse sentido do sintoma; trata-se de uma construção lenta, de cuidadosa atenção ao vivido na relação terapêutica e ao relato do cotidiano do cliente. Pode até vir, tanto para o terapeuta quanto para o cliente, em um rompante, em um súbito lampejo, mas esse irrompimento súbito é fruto de concentração, reflexões e ininterrupta formação.

Essa construção relativamente lenta da compreensão do sentido do sofrimento vivido se apoia no que Frazão (1991, p. 43) chama de *pensamento diagnóstico processual*. A compreensão da pessoa que está diante do terapeuta tem de ser sempre refeita e repensada, o que o obriga a permanecer atento a cada nova configuração que o cliente fizer em sua vida. A compreensão diagnóstica é uma atividade sem ponto final, que exige do terapeuta a abertura para se surpreender com novas descobertas acerca de seu cliente e de seu mundo como um turista se surpreende com detalhes da encantadora cidade visitada pela primeira vez.

DIALOGAR COM A ANSIEDADE

Um dos aspectos ao qual essa compreensão diagnóstica deve estar atenta diz respeito ao modo de ser do cliente, nosso terceiro eixo.

O estilo de personalidade ou o modo de ser preponderante do cliente

COMO DESENVOLVO LONGAMENTE EM outro livro (Pinto, 2015), cada pessoa tem um estilo predominante de personalidade, um modo preferencial e repetido de lidar com o mundo. Compreender o modo de ser de cada cliente permite-nos compreender sua vivência da ansiedade e traçar melhores prognósticos a respeito do trabalho terapêutico, pois um dos principais suportes para a configuração da lida com as vivências de ansiedade é o estilo de personalidade do cliente. Por extensão, ele é também um dos principais configuradores do manejo terapêutico, pois pessoas com diferentes estilos de personalidade reagirão de diferentes maneiras a estímulos e condutas do terapeuta.

Um processo terapêutico começa pela possibilidade de que o terapeuta interaja com seu cliente e valorize nele a pessoa singular que ele é, com sua história, seu momento único, suas dores e suas conquistas. O terapeuta chega a uma compreensão melhor da singularidade de seu cliente se não se prende apenas ao singular que seu cliente é. Como afirmam Kluckhohn e Murray (*apud* Pervin, 1978, p. 1), "todo homem é, sob certos aspectos, a) como todo homem; b) como certos homens; c) como nenhum outro homem". Considero útil, no manejo terapêutico, dar atenção aos itens a) e b) a fim de realçar e compreender ainda melhor o item c). Isso porque a compreensão diagnóstica em psicoterapia se refere àquela pessoa que está à frente do terapeuta e se fundamenta também em uma generalização. Ela parte do vivido e relatado pelo cliente e caminha em direção ao que há nele de comum com os outros seres humanos, para depois voltar novamente ao indivíduo na tentativa de compreendê-lo e de ajudá-lo a se compreender: "Toda lei científica, todo sistema filosófico, toda generalização baseia-se na busca do denominador comum, do fato idêntico a várias coisas. Em resumo, da 'Gestalt' comum a diversos fenômenos" (Perls, 2002, p. 104).

Entendo o estilo de personalidade como uma estrutura desenvolvida pela pessoa ao longo da vida por meio de ajustamentos criativos que lhe permitem lidar melhor com os estímulos internos e externos. O estilo de personalidade – que se desenha a partir da herança genética e, sobretudo, das múltiplas relações ao longo do desenvolvimento pessoal, especialmente nos primeiros anos da vida – tem como função facilitar a lida com a realidade, por meio de certa forma padronizada de ser e agir. Somente sob circunstâncias muito ameaçadoras esse estilo pode cristalizar-se, gerando vivências psicopatológicas. Na lida cotidiana dos processos psicoterapêuticos, o que encontramos são pessoas que precisam flexibilizar seu estilo de personalidade para transformar as ansiedades patológicas em saudáveis. Ajudá-las nessa flexibilização é, no meu modo de ver, o propósito e o limite da psicoterapia.

Conhecer e integrar o próprio estilo de personalidade significa experimentar limites e possibilidades de maneira a que a pessoa se torne confiante nas previsões que faz de si, ao mesmo tempo que se mantém aberta a se surpreender consigo mesma. Além disso, requer a busca de um autoconhecimento tal que permita ter uma ideia suficientemente apurada das repetições às quais se propende e, com base nesse conhecimento, transformá-las em escolhas. Assim, em vez de ter as possíveis repetições como acidentes, inevitabilidades ou compulsões, ela sabe delas e escolhe, a cada momento, ceder ou não a elas. Desse autoconhecimento e da integração do estilo de personalidade depende a posterior aceitação do modo preponderante de ser, matriz da ampliação da possibilidade de flexibilização.

Embora tenha um estilo preponderante, cada pessoa guarda em si a possibilidade de se apoiar em todos os estilos de personalidade existentes, pois eles não são excludentes entre si. O que temos é um expoente, um estilo de personalidade que se torna preponderante, deixando os outros em segundo plano. O que se torna proeminente é o que caracteriza a pessoa, mas, em tese, nada impede que ela se apoie em outros estilos, a depender da situação e por determinado tempo. A flexibilização do estilo de personalidade se dá em duas direções igualmente importantes e não excludentes. Numa, a flexibilização significa lutar contra as cristalizações: lutar para que preferências não se tornem obrigatoriedades; para que as escolhas sejam feitas segundo a situação, não com base em um hábito anterior; para que a tradição seja referência, não compulsão. Na segunda direção, temos a possibilidade de construir apoios nos estilos de personalidade secundários quando a situação assim o exige, de modo que a pessoa se entrega ao estilo solicitado pela situação, tendo a confiança de que, no momento adequado, o caminho de volta será encontrado. No segundo caso, estou tratando da descontinuação do contato como estado, mas é preciso deixar claro que esse apoio nos estilos de personalidade secundários provoca ansiedade saudável, quando o caminho de volta está aberto e disponível, e ansiedade patológica, quando não se vislumbra a possibilidade de ida para o estilo secundário ou quando o caminho de volta fica trancado, constituindo outra forma de cristalização.

Apoiado na conceituação do ciclo de contato proposto por Ribeiro (2007), considero oito etapas para o contato a partir do momento em que a pessoa está aberta, fluida para novos contatos: a sensação, ou percepção corporal de alguma necessidade; a conscientização dessa necessidade; a mobilização para atender essa necessidade; a ação proveniente dessa mobilização; a interação que essa ação provoca; o contato final movido pela necessidade; o fechamento proveniente desse contato final; e, fechando o ciclo, a retirada, para que novo ciclo se inicie, num processo sem fim por toda a vida.

Obviamente, no dia a dia não encontramos essa linearidade que o conceito parece sugerir, uma vez que ele é bastante amplo, necessariamente vago, para que façamos uma ideia do movimento de uma pessoa diante das necessidades que ela tem no contato com o campo. Em termos de compreensão diagnóstica, além de compreendermos, com base nesse modelo, como se dá o contato, vislumbramos também como se dão as descontinuações deste, também chamadas de bloqueios, interrupções de contato ou resistências. Prefiro o termo "descontinuação" porque ele descreve melhor o que acontece na experiência das pessoas, uma vez que o contato não deixa de existir e, portanto, não fica bloqueado ou interrompido, mas descontinuado, com o ritmo quebrado e a plenitude reduzida.

Para cada etapa do contato há uma maneira de descontinuá-lo. Assim, a descontinuação para a sensação é a dessensibilização; para a conscientização, a deflexão; para a mobilização, a introjeção; para a ação proveniente da mobilização, a projeção; para a interação, a proflexão; para o contato final, a retroflexão;

DIALOGAR COM A ANSIEDADE

para o fechamento proveniente desse contato final, o egotismo; finalmente, a descontinuação para a retirada é a confluência.

Entendo, como já propus em outra obra (Pinto, 2015), que cada descontinuação aparece, basicamente, em três formas, não necessariamente excludentes. A descontinuação pode ser um ato, um estado ou um estilo de personalidade. Nas três formas ela pode ser saudável ou não, a depender das circunstâncias. Uma descontinuação constitui um estilo de personalidade quando se configura como estrutura, como modo peculiar e habitual de estar no mundo. Nesses casos, uma intervenção terapêutica deve visar ao conhecimento, à compreensão, à flexibilização e à aceitação dessa estrutura, na medida em que ela, uma vez estabelecida, não poderá ser intrinsecamente modificada pelo resto da vida. É importante que eu faça dois esclarecimentos aqui: 1) todos nós nos modificamos ao longo da vida, tornamo-nos pessoas diferentes e mais amadurecidas sem mudar de estilo de personalidade – as mudanças pelas quais passamos nos tornam diferentes dentro da permanência; 2) quando digo que determinada pessoa tem um estilo de personalidade, um jeito preferencial de estar no mundo, não estou afirmando que esse seja o único, pois somos seres abertos. Entendo que ser aberto não é ser ilimitado, ao contrário; assim como temos nossas limitações corporais, genéticas, etárias, de época, de cultura e de campo, temos também nossas limitações de personalidade, e em cada um de nós predomina um estilo. Os oito estilos de personalidade segundo o modelo que defendo são: a personalidade dessensibilizada, a defletora, a introjetora, a projetora, a profletora, a retrofletora, a egotista e a confluente.

Cada um dos estilos de personalidade ilumina, entre outros aspectos, um propósito amplo para o processo terapêutico, o que, por sua vez, orienta o terapeuta em seu trabalho. Além desse propósito amplo, cada estilo exigirá do terapeuta um cuidado específico no que diz respeito à comunicação (verbal e não verbal), ao tato, ao acolhimento e à confrontação, no manejo terapêutico. Uma coisa todos os modos de ser exigem do profissional: que não revele ao cliente o estilo que predomina nele, pois facilmente isso se constituiria em uma forma – portanto, em um aprisionamento. O nome do seu estilo só interessa ao cliente em condições muito excepcionais.

Cada estilo tende a viver a ansiedade de maneira certa e não exclusiva: para a pessoa de estilo dessensibilizado, a ansiedade tem relação com o contato com outros indivíduos, sobretudo na intimidade; para a pessoa de estilo defletor, a ansiedade terá relação com a solidão e com o aprofundamento de temas existenciais; para o estilo introjetor, aparecerá ligada a possibilidades de rejeição ou de agressão; para a pessoa de estilo projetor, estará relacionada com ameaças do ambiente; para o profletor, aparecerá ligada ao abandono ou a constâncias relacionais; para a pessoa de estilo retrofletor, vai se configurar como dificuldade de lidar com a corporeidade ou com a culpa; para a pessoa de estilo egotista, a ansiedade surgirá ante situações de entrega ou de empatia; finalmente, para as pessoas de estilo confluente, tenderá a ligar-se a vivências de autonomia.

A visão de ser humano e o conceito de saúde da abordagem

O QUE VAI SER caracterizado como saudável ou não depende sobretudo da visão de ser humano da abordagem psicológica que sustenta o terapeuta. Uma questão que não pode passar

DIALOGAR COM A ANSIEDADE

desapercebida é o fato de que, além de não trabalhar com fatos e dados absolutos, pois o que importa ao psicólogo é o vivido, a psicologia não é uma. Ela comporta diferentes valores e visões do humano, o que, por sua vez, provoca diferenças consideráveis na compreensão do manejo terapêutico – isto é, na definição do que é patológico e do que é saudável –, na compreensão e na proposição de métodos e caminhos psicoterapêuticos, na linguagem utilizada, na delimitação dos horizontes existenciais humanos, na compreensão e na lida com a ansiedade. Vejamos, então, quais são essas áreas a que me refiro.

Grosso modo, há na área psi três grandes visões do humano: a psicanalítica, a fenomenológica e a cognitivo-comportamentalista. A primeira começou a se desenvolver no final do século 19, começo do 20, na Europa; a segunda surgiu especialmente nos Estados Unidos, na mesma época; a terceira tem raízes em ambas as regiões e um grande incremento a partir da Segunda Guerra, especialmente por causa da fuga do nazismo por parte de intelectuais europeus, notadamente médicos, psicólogos, filósofos e religiosos.

Hoje, encontramos no interior de cada uma dessas grandes áreas diferenças e divergências que podem ser denominadas de escolas. Dessa forma, temos diferentes psicanálises dentro da psicanálise: a clássica (Sigmund Freud), a lacaniana (Jacques Lacan), a kleiniana (Melanie Klein), a winnicottiana (Donald Winnicott) etc. Também a área comportamentalista-cognitivista conta com diferentes visões, do behaviorismo radical de B. F. Skinner à terapia cognitivo-comportamental. Acontece o mesmo com as psicologias fenomenológicas, representadas, entre outras, pela abordagem centrada na pessoa (Carl R. Rogers), pela logoterapia (Viktor Frankl) e pela Gestalt-terapia (Fritz Perls e colaboradores).

ÊNIO BRITO PINTO

Obviamente, não há somente diferenças entre as três grandes áreas da psicologia, existindo um substrato comum que as envolve e que, segundo penso, tem quatro pilares principais: 1) as psicologias descendem diretamente da filosofia e da medicina e indiretamente das religiões – é a descendência da filosofia que propicia as semelhanças e as diferenças mais importantes entre as áreas da psicologia; 2) são fruto da necessidade ocidental de compreender a si e ao mundo; 3) embora focalizem especialmente o indivíduo, com ênfase em sua subjetividade, todas hoje em dia levam em conta a intersubjetividade, a vivência grupal humana, ainda que a valorizem diferentemente; 4) como a psicologia é essencialmente um saber do mundo ocidental, o surgimento dos principais conceitos de cada uma dessas áreas é marcado histórica e geograficamente, o que as obriga a constantes revisões e atualizações. É nesse terreno comum que se percebe hoje em dia um incremento do diálogo e das trocas entre essas áreas, o que enriquece cada uma delas, a própria psicologia e a cultura.

Em Gestalt-terapia, como já salientei, podemos compreender o ser humano como composto por três dimensões e imerso em um campo: somos corpo-mente-espírito imersos em um ambiente que nos configura (e à nossa liberdade) e ao qual configuramos. Somos seres complexos e fluidos, corporalmente integrados, que não podem ser explicados, mas devem ser compreendidos. O ser humano é coexistente, a existência se constrói na coexistência. Somos seres em constante e inevitável autoatualização, em constante construção, gerúndios perenes. O ser humano atribui sentido a si e ao mundo. Ele é suficientemente livre, orienta-se pelas suas vivências e é responsável pelas escolhas que faz e pelos sentidos que atribui ao que vive e à vida. Finalmente, se para Heidegger o homem é um ser para a morte, para a Gestalt-terapia ele é um ser para muitas mortes e renascimentos, pois a vida é um constante movimento de vida--morte-vida.

Um dos conceitos mais importantes da Gestalt-terapia é o de que a vida é um constante abrir e fechar de *Gestalten*, ou seja, um ritmo de sucessivas e infinitas aberturas e fechamentos, nascimentos e mortes. Nascemos em um dia, morremos em outro e, entre esses dois momentos, nascemos e morremos inúmeras vezes por dia, todo dia. Necessidades surgem, são satisfeitas e somem para dar lugar a novas. Para a Gestalt-terapia, a saúde se caracteriza pela abertura a esse ritmo de formação e fechamento de *Gestalten* – vida-morte-vida, que constitui o nosso cotidiano – bem como pela conscientização acerca desse ritmo. Na vivência saudável, ambos se dão especialmente nas nossas principais fronteiras de contato (Polster e Polster, 2001, p. 127): "[...] fronteiras corporais; fronteiras de valores; fronteiras de familiaridade; fronteiras expressivas e fronteiras de exposição". Essa abertura e essa conscientização nos caracterizam como seres em transformação, renovação e autocriação constantes, movimentos potencialmente ansiogênicos.

Para a abordagem gestáltica, a ansiedade, como já vimos mas não custa repetir, é uma qualidade humana; inescapável ao longo da existência, pode ser vivida de maneira saudável ou patológica.

Colocados, então, os quatro eixos do manejo terapêutico no meu modo de ver, analiso agora os quatro principais meios pelos quais se dá o manejo das vivências em psicoterapia: a postura e a conduta terapêutica; a experiência emocional atualizadora; o como e o agora; o diálogo com a ansiedade e o contato com a coragem.

ÊNIO BRITO PINTO

Postura e conduta terapêutica

NOS ESTUDOS QUE FAÇO com meu grupo de pesquisas em psico-terapia breve, temos trabalhado com a imagem de uma pirâmide que facilita muito o manejo terapêutico. Compreendemos que em terapia há uma relação cuja qualidade é fundamental e im-prescindível para que haja um efeito terapêutico. Essa relação terapêutica sustenta uma postura terapêutica, ou seja, as guias éticas que conduzem o terapeuta em seu trabalho. Tal postura, por sua vez, apoiará as condutas terapêuticas adotadas ao longo do trabalho. Por ora me resta só lembrar que a premissa na Gestalt-terapia no que diz respeito à relação terapêutica é que ela se dá no *entre dialogal*, é uma coconstrução entre terapeuta e cliente em determinado campo. Isso vale tanto para os trabalhos longos como para os de curta duração.

A postura é, a meu ver, o lugar de onde o terapeuta olha para o ser humano e para a psicoterapia. Fundamenta-se em uma base filosófica que não pode ser desprezada. A postura é ética, orienta como se dá o olhar do terapeuta, que viés do humano é mais destacado ou mais importante para o trabalho psicotera-pêutico – isto é, trata de com que pressupostos o terapeuta se aproxima do outro ser humano à sua frente. A postura terapêu-tica está diretamente relacionada com a visão do humano de cada terapeuta e de cada abordagem. E, em Gestalt-terapia, tem os fundamentos que discuti anteriormente.

A conduta terapêutica é o comportamento, o modo de agir, de se portar, do terapeuta ante seu cliente – comportamento que, ainda que necessariamente autêntico, é orientado por uma postura profissional e pela técnica. O fato de a conduta do tera-peuta ser autêntica não impede que ela seja submetida a certas regras e técnicas, sempre em prol do melhor trabalho possível. O manejo é composto por tais regras e técnicas, pois na situação clínica o terapeuta está a serviço de seu cliente, assim como sua autenticidade é colocada nesse serviço. Isso implica que, se para si o terapeuta deve revelar o que vive a cada momento (sua congruência), ao cliente ele revelará aquilo desse seu vivido que julgar útil para aquela determinada situação terapêutica. As questões éticas que fundamentam a postura terapêutica passam também pela atenção ao campo. E continuam por perguntas que iluminem ao menos parte dos dilemas vividos pelos clientes, temas que já abordamos antes e, por isso, me permito apenas citar aqui: como estamos vivendo a ansiedade em nossa cultura hoje? Como estamos fazendo nossas escolhas e que possível relação há entre elas e a ansiedade? Quais são os principais valores a nortear a cultura ocidental hoje? Como se estabelecem alguns valores fundamentais para nossa cultura e para cada um de nós?

Tentar compreender o diverso, tentar compreender o outro, é combustível para acender a chama da compaixão, farol da solidariedade. Necessitamos urgentemente acentuar a capacidade de empatia, pois com isso também ampliamos nossa intolerância à dor alheia, o que pode nos levar a ações de maior cuidado e atenção para conosco mesmos, para com o outro e com o ambiente. E, com isso, a menos ansiedade disfuncional.

Um dos aspectos mais importantes relativos à postura terapêutica é o fato de que a relação terapêutica se constitui, de certa forma, como uma parte da história do cliente. Embora se trate de algo incidental, temporário, a relação terapêutica, notoriamente quando a terapia é bem-sucedida, faz parte da vida e da história da pessoa mesmo depois que os atendimentos se encerram.

Cria-se um vínculo, o qual, em muitos casos, é para o resto da vida, é história que ajuda a compor a história existencial. A consequência disso para o manejo terapêutico é que o terapeuta deve sempre se perguntar, desde o início do trabalho, como está sua disponibilidade para conviver com determinado cliente. Essa pergunta tem de ser repetida continuamente, ao menos ao longo do trabalho. Não há resposta certa para ela, nem devemos amar nosso cliente sempre, dado que uma característica marcante dessa relação é que ela é humana, ou seja, sujeita a encontros, desencontros, encantamentos e desencantamentos, que devem sempre ser observados e compreendidos pelo terapeuta, sobretudo por meio de cuidadosa supervisão.

O termo mais importante aqui é *compromisso*. Estará o terapeuta confiante para assumir com o cliente o compromisso de fazer parte da vida dele, de permitir que, ainda que com severos limites, ele faça parte de sua vida? Na lida com vivências de ansiedade essa questão é muito séria, pois a conduta honestamente confiante do terapeuta ante as possibilidades do cliente contagia o cliente e o encoraja a enfrentar suas ansiedades. Não importa que seja uma relação que existe para não existir: ela tem de ser vivida, a cada situação terapêutica, com concentrada entrega.

Alguns clientes ficam mais na história do terapeuta, e essa é uma vivência bem interessante. Ao longo desses 40 anos de trabalho, não tenho ideia de quantas pessoas atendi. Não me recordo de todas elas, mas confio em que, se necessário, a história poderá emergir à memória. Isso foi o que aconteceu comigo muitos anos atrás. Um dia me ligou um homem querendo marcar uma sessão e, animado, me disse: "Você deve se lembrar de mim, sou o Ernesto (nome fictício), fui seu cliente há dez anos". Embaraçado, respondi vagamente, marquei um horário para nos revermos e fiquei preocupado. Eu não me lembrava dele. Decidi esperar em vez de tentar encontrar referências em antigas anotações, pois pensei que minha falta de lembrança poderia fazer parte do processo terapêutico que parecia prestes a ser retomado. Quando chegou a data da nova primeira sessão, no horário combinado, meu cliente chegou, tocou a campainha e eu desci para recebê-lo, extremamente curioso sobre aquele reencontro. Abri a porta, olhei para ele, e a história do nosso trabalho emergiu em mim com cores e riquezas. O sorriso com que o acolhi foi, então, seguro e caloroso, e nós voltamos a fazer terapia por mais um período. Não tenho dúvidas de que, se eu não me lembrasse dele, no mínimo a retomada do trabalho seria complicada. Eu fiz parte da história dele a ponto de ele me procurar novamente quando precisou, dez anos depois; ele fez parte da minha história a ponto de minha disponibilidade para ele não ter de ser recriada, dado que só precisou ser despertada de sua necessária hibernação.

Essa história só pode ser construída se tem como base a confiança. Para o terapeuta, esta tem duas bases principais. Primeiro, é preciso confiar no humano. Esse é para mim um dos encantos mais preciosos das abordagens humanistas em psicologia, dado que elas partem dessa premissa: creem que, se lhe são dadas as condições necessárias, o ser humano se desenvolve em direção ao melhor de si, de modo pessoal e social. Isso não é ingenuidade, mas confiança, pois se fosse ingenuidade não teríamos tanta preocupação, como temos, entre os principais autores dessa linha na psicologia, em buscar a compreensão o mais acurada possível sobre como se dá essa busca de crescimento em um ser de tamanha complexidade, imerso em um ambiente não menos complexo. Para ninguém o crescimento é retilíneo, mas, dadas as condições necessárias, as quais, note-se, são muito variáveis, há crescimento, geralmente entremeado de sofrimento, como bem aponta Carl Rogers em entrevista a Frick (1975, p. 120): "Sou inteiramente favorável a todos os nossos esforços para melhorar a sorte das pessoas e, no entanto, acabei por dar-me conta de que a vida sem tensão estaria longe de ser uma coisa boa".

A outra base da confiança para o terapeuta tem um vetor mais subjetivo: a possibilidade de confiar em si para a realização daquele trabalho. O terapeuta precisa se perguntar, quando diante de seu cliente: "Confio em que, com os meus recursos e com os recursos do meu ambiente, sou capaz de cuidar dessa pessoa de acordo com suas necessidades?" Se a resposta for sim, ainda que um sim com condições, então estará aberta a porta para a criação da aliança terapêutica, fundamento essencial da relação terapêutica e do próprio trabalho psicoterapêutico. O sim com condições a que me refiro aqui é o sim seguido de "desde que"; sim, desde que eu tenha uma boa supervisão; sim, desde que eu me aprofunde em determinado e importante tema; sim, desde que haja um trabalho multiprofissional etc. É crucial perceber que confiança e certeza são condições muito diferentes: na confiança a ansiedade é aceita e age como conselheira, ao passo que na certeza a ansiedade é negada ou reprimida. Por isso, a confiança é cuidadosa e a certeza é onipotentemente desconsideradora no que diz respeito ao terreno da psicoterapia.

Parte do cuidado proporcionado pela confiança deve ter um viés bem concreto: o *setting* terapêutico também precisa ser previsível. Clientes com ansiedade patológica tendem a lidar mal com mudanças inesperadas. Lembro-me de uma situação que me obrigou a ter muita sensibilidade para não enfraquecer a

DIALOGAR COM A ANSIEDADE

aliança terapêutica que eu tinha com um jovem cliente de estilo francamente profletor. A terapia já durava um bom tempo, ia bem e tinha um prognóstico muito otimista. Num fim de ano, época de férias, eu e meus sócios aproveitamos a parada para pintar a casa, um sobrado, onde trabalhávamos. Decidi trocar também o pano das poltronas da minha sala, e assim o fiz. Quando parei o trabalho para as férias, eu usava barba; quando voltei, estava sem ela. Na primeira sessão desse jovem, quando o recebi na sala de espera e o convidei para ir à minha sala, no andar superior, ele me olhou e brincou: "Opa! Terapeuta novo!" Aquilo já me despertou para um cuidado que eu não tivera: o de avisá-lo antes das férias que mudaria minha aparência. Subimos e, quando ele entrou na minha sala, olhou-me entre bravo e assustado e exclamou: "Ênio, terapeuta novo, casa nova, sala nova! O cliente não aguenta!" Brinquei com a situação, conseguimos digerir aquelas mudanças e continuar a terapia ainda por muito tempo, mas, naquele momento, depois de agradecer a solidez da relação, eu compreendi como nunca a necessidade da máxima previsibilidade por parte do terapeuta, especialmente nos trabalhos com pessoas de senso de identidade mais frágil. Hoje cuido muito para, sempre que possível, anunciar a meus clientes as eventuais mudanças que pretendo fazer no consultório ou mesmo em minha aparência, com o intuito de cuidar da confiança necessária para uma boa aliança terapêutica.

Essa confiança, quando bem estabelecida, vai flutuar ao longo da terapia, mas isso é esperado. Ainda assim, ela é base para que se estabeleçam duas condições essenciais para o manejo das vivências de ansiedade. Primeiro, ela propiciará que se abra uma comunicação intrínseca, não verbal, da qual o *entre* restará fortalecido, pois ele se alimenta muito mais do que não é explicitado que do falado. Segundo, e decorrente do primeiro, a confiança possibilitará que o terapeuta seja silenciosamente previsível, tornando-se chão firme para que o cliente amplie sua sustentação ambiental e, só então, ouse tentar um diálogo franco com sua ansiedade. A previsibilidade e a confiança são ainda mais fundamentais no trabalho com pessoas próximas da psicose ou em vivência de psicoses. A lida com a ansiedade nesses casos é diferente: mais delicada, mais sutil, mais atenta ainda ao possível sentido da ansiedade, pois a fragilidade do cliente é notável, seu autossuporte é um fio de esperança que não pode ser esgarçado, seu suporte ambiental é tão dúbio e paradoxal que não é confiável. Assim, o suporte terapêutico precisa ser ponte sólida que lentamente é construída entre a ilha isolada e o continente da convivialidade humana. Isso demanda um manejo bem específico, muito atento a uma comunicação mais primitiva, pré-verbal, na verdade, pré-pessoal, pois não estamos lidando com pessoas plenamente constituídas, mas com uma qualidade diferente de sofrimento e de ansiedade. Se nos atendimentos de pessoas com maturidade suficiente para se constituir no mundo compartilhado a lida com a ansiedade tem ponto forte no diálogo verbal e não verbal coconstruído na relação terapêutica, na lida com pessoas que ainda não se constituíram para este mundo, ou que se constituíram muito fragilmente, a delicadeza não verbal necessária ao psicoterapeuta só pode ser comparada àquela da mãe que percebe o tempo de seu filho e o respeita corajosamente para entregar a ele a solidão inevitável e constituinte à qual estamos todos condenados.

Outro ponto desse manejo que facilitará a abertura do diálogo com a ansiedade é a atenção do terapeuta às necessidades do cliente e um ajustamento ativo a elas. Atenção e, dentro do possível, satisfação dessas necessidades, sobretudo daquelas mais ligadas à ansiedade. Necessidade é diferente de desejo. A necessidade precisa ser confirmada, validada e, se possível, satisfeita. O desejo tem de ser percebido como tal, e só então se pondera se ele pode ser atendido ou se deve ser frustrado. Na lida com as vivências de ansiedade, é muito importante ajudar o cliente a perceber limites, a se dar conta de suas fronteiras, necessidades e sobrecargas. Lembro-me de Barry Stevens (1978, p. 195):

Perguntei a Marion, que é meio índia (uma avó), qual a diferença mais importante entre índios e brancos. Ela respondeu: "Trabalho. O índio trabalha e descansa – goza. O branco diz 'continue trabalhando'. Ele se zanga quando o índio não faz isso".

Esse cuidado com o dimensionamento da carga existencial suportável a cada momento precisa ser feito pelo terapeuta consigo mesmo, antes de ajudar seus clientes a conhecerem melhor essa dimensão. Parte significativa dessa lida implica que cada um se pergunte se o que está fazendo ou se propondo a fazer é mesmo necessário ou se se trata de um desejo. Completando o movimento, é preciso verificar, quando o esforço vale a pena, se é possível atender a essa necessidade ou a esse desejo agora ou se é necessário enfrentar o sofrimento da espera. No segundo caso, essa postura possibilita que tal espera seja vivida com o mínimo de ansiedade possível.

Ponto que me parece fundamental na postura e na conduta terapêutica é a abertura, por parte do terapeuta, para a condição aventuresca da terapia. Quando iniciamos uma sessão, nunca sabemos como ela caminhará nem como terminará; não sabemos como viveremos aquele encontro nem como estaremos ao fim da sessão. Só sabemos que esse trabalho é extremamente solitário e fundamentado na presentificação. Outro ponto ansiogênico para muitos é o fato de que não há muito o que fazer previamente a cada sessão. Precisamos nos cuidar em termos profissionais e pessoais, tendo a dimensão do cuidado como preciosa em nossa vida e lembrando-nos de que, como bem destacam os Ginger (1995, p. 157), "parece, pois *indispensável* que qualquer terapeuta reserve para si, regularmente, e isso *ao longo de toda a sua carreira*, períodos suficientes de *trabalho pessoal consigo mesmo* e de *reciclagem profissional* (não confundir)". Desses cuidados surgirão condutas terapêuticas pautadas por uma postura (ética) coerente com a abordagem de trabalho e respeitadoras do humano que nos constitui e constitui nossos clientes.

A experiência emocional atualizadora

COMO ESCREVI EM ARTIGO publicado há alguns anos (2009), Alexander (1965) cunhou um termo bastante conhecido e frequentemente utilizado por terapeutas ao tentar descrever e compreender sua conduta terapêutica. Trata-se da *experiência emocional corretiva*, a busca de mudança no paciente através da exposição, em circunstâncias mais favoráveis, a situações emocionais semelhantes àquelas que ele não pôde resolver adequadamente no passado. Alexander defendia que a recuperação de lembranças reprimidas se devia a uma maior integração egoica derivada da revivescência de situações conflitivas em um novo padrão relacional, proporcionado pela atitude do terapeuta e/ou por situações de vida. O progresso, então, dependeria de circunstâncias diferentes daquelas que teriam originado a adaptação neurótica. O fundamento do conceito de Alexander, aliás muito semelhante às ideias de Carl Rogers e à abordagem gestáltica, é o de que a relação terapêutica é (ou deveria ser) uma relação curadora; o problema é que Alexander parte de um ponto de vista psicanalítico que não tem sentido na abordagem gestáltica ou nas abordagens humanistas: para ele, a neurose é um erro, por isso ele qualifica a relação terapêutica como "corretiva". Sob o olhar gestáltico, a neurose é fruto de ajustamentos criativos que estão cristalizados, mas não são nem foram erros, pelo contrário. Tais ajustamentos hoje cristalizados foram criativos e propiciaram que o desenvolvimento e a autoatualização se mantivessem da melhor forma possível ante o campo vivenciado. A função, então, da relação terapêutica não é corrigir, mas possibilitar atualizações, e é por isso que eu prefiro chamá-la de *experiência emocional atualizadora*.

Ao permitir que o cliente explore e experiencie novos e mais autênticos jeitos de ser e de lidar com suas ansiedades, a relação terapêutica dialógica facilita, quando é o caso, o fechamento das situações inacabadas, propiciando o que verdadeiramente se pode chamar de *experiência emocional atualizadora*: em vez de repetir-se, o cliente experimenta uma nova configuração de si, ajustando-se criativamente por meio das situações vividas em terapia e em seu cotidiano atual.

Há algo que precisa ser atualizado para que o cliente volte a desenvolver-se com bom ritmo, atualizando continuamente seu potencial. Se defendemos na abordagem gestáltica o ajustamento criativo e a consequente ideia de que até mesmo as reações neuróticas ou psicóticas são ajustamentos criativos, seria incoerente pensarmos em corrigir aquilo que foi criativo e vital um dia. O problema é que aquela solução criativa se cristalizou e agora precisa ser atualizada, e não corrigida. A ansiedade existe para provocar movimentos no sentido dessa atualização, e é assim que ela deve ser ouvida na situação terapêutica.

A relação terapêutica proporciona ao cliente a experiência de buscar a criação de novas respostas ajustadas criativamente ao caráter novo da situação. No dizer de Perls (1977a, p. 113),

> se mudarmos a atitude do paciente em relação ao comportamento de interromper que ele apresenta no consultório, sua atitude mudada eventualmente se expandirá e abarcará seu estilo, natureza, seu modo de vida. Seu comportamento aqui e agora é um corte microscópio de seu comportamento total. Se ele vir como é estruturado o seu comportamento na terapia, verá como o estrutura no cotidiano.

A conduta do terapeuta, então, deverá se guiar pelas necessidades do cliente e ser diferente daquela do senso comum e do que espera o cliente quando baseado em suas vivências anteriores. Isso lhe permitirá olhar-se por outra ótica, mais aceitadora do que ele de fato é e mais compreensiva para com suas dores e ansiedades.

Por um lado, essa conduta frustra algumas expectativas do cliente e, com isso, abre espaço para que ele ouse e desenvolva novas formas de diálogo consigo e com o ambiente. O que se frustra aqui não é o todo do cliente, mas as expectativas que se baseiam na repetição de comportamentos que deveriam provocar reações também repetidas do ambiente. Aquele cliente que é ácido e raivoso no cotidiano e que se queixa de ser sempre abandonado vai tentar provocar também no terapeuta a mesma raiva – esperando, possivelmente, o mesmo abandono. É provável que, dada a habilidade desse cliente, o terapeuta também sinta raiva, mas a compreenderá de um ponto de vivência diferente daquela do senso comum e não atuará essa raiva, mas a acolherá como informação para compreender o cliente, sua ansiedade e seu sofrimento ante os abandonos. Finalmente, o terapeuta repetidamente reagirá de maneira diferente da do senso comum, frustrando a expectativa de seu cliente de ser abandonado ou desamado.

Por outro lado, a conduta positivamente acolhedora e aceitadora do terapeuta, sobretudo diante de comportamentos e vivências que o próprio cliente não aceita em si, permitirá que este se acolha melhor, aceitando-se e reconhecendo-se como é, correndo o risco de retirar máscaras que habitualmente usa e estão desatualizadas, melhorando suas defesas e ampliando sua espontaneidade. Tanto esse apoio quanto a sensível e habilidosa frustração, se verdadeiros, se amorosa e pacientemente repetidos, facilitam um processo de autoatualização apoiado nessa experiência emocional atualizadora vivida na relação terapêutica.

Para que isso se dê, é importante compreender que a relação terapêutica é cocriada entre o terapeuta e seu cliente, e não algo que o primeiro proporciona ao segundo. O terapeuta faz e é feito pela situação, tanto quanto seu cliente. A relação terapêutica, cada situação clínica, tem de ser vivida como uma situação experimental, e por isso o terapeuta deve se engajar e se concentrar. Essa postura diante da situação clínica, essa atenção a como se desenrola o encontro terapêutico a cada sessão, leva a uma percepção mais acurada do que está ali e a uma disponibilidade mais generosa para o que está ali. Atento ao que acontece, o terapeuta se liberta de uma postura que poderia deixar implícita uma exigência de que algo devesse estar ali. Com isso, o acolhimento ao cliente, a possibilidade da empatia, da compaixão e da inclusão se fazem mais claramente presentes na situação clínica, o que ajuda o cliente a fazer dessa situação e dessa relação uma experiência emocional atualizadora.

ÊNIO BRITO PINTO

O como e o agora

NA MEDIDA EM QUE a visão do Gestalt-terapeuta é voltada especialmente para a dinâmica que acontece em determinado momento da vida de uma pessoa, para ele é mais importante o "como" que o "o que" ou o "por quê". No que diz respeito mais explicitamente à terapia gestáltica, segundo Ginger e Ginger (1995, p. 65), "para Perls a Gestalt pode ser resumida em quatro palavras (que rimam, em inglês): '*I and thou, how and now*' (eu e tu, agora e como)".

O *como* no manejo das vivências de ansiedade se dá por condutas que ajudam o cliente a transformar suas vivências de ansiedade patológica em vivências de ansiedade normal, e estas em medo e coragem. Obviamente, não vou tratar aqui de todas as condutas possíveis, mas salientarei algumas que podem ser especialmente úteis no trabalho com pessoas que vivem a ansiedade como queixa ou sintoma relevante em psicoterapia. Discutirei estratégias que têm se comprovado bastante produtivas nesses atendimentos.

Uma primeira estratégia por parte do terapeuta é facilitar que a terapia não se realize apenas na hora marcada no consultório, mas se estenda para além disso. Em outros termos, é necessário que o cliente viva, no seu dia a dia, esforços terapêuticos. Isso pode se dar de diversas maneiras, das quais a lição de casa é uma das mais simples e eficazes.

Propor lições de casa é uma estratégia que aprendi com as leituras de Perls (1977a, p. 95) e utilizo muito: "Pedimos a todos os pacientes para tentar fazer algum dever de casa, e muitos são capazes de acelerar consideravelmente sua terapia desse modo. [...] Teoricamente, este trabalho para casa [...] é, sobretudo, uma economia considerável de tempo e dinheiro". Embora muitos

DIALOGAR COM A ANSIEDADE

clientes tenham dificuldade de realizar as lições de casa, "eventualmente, enquanto progride a terapia, e o paciente desenvolve maior autoestima, ele se torna mais capaz de lidar com seu dever de casa".

Há colegas de outras abordagens que também devem ter aprendido com Perls, mas utilizam essa estratégia com um propósito diferente daquele que usamos na Gestalt-terapia. Para nós, a lição de casa não é um desafio, mas um trabalho de ampliação de consciência, pois, segundo Laura Perls (*apud* Yontef, 1998, p. 31),

> o objetivo da Gestalt-terapia é o *continuum* de *awareness*, a formação continuada e livre de gestalt, por meio da qual aquilo que for o principal interesse e ocupação do organismo, do relacionamento, do grupo ou da sociedade se torne gestalt, que venha para o primeiro plano e que possa ser integralmente experienciado e lidado (reconhecido, trabalhado, selecionado, mudado ou jogado fora, etc.) para que então possa fundir-se com o segundo plano (ser esquecido, ou assimilado e integrado) e deixar o primeiro plano livre para a próxima gestalt relevante.

Dessa forma, quando proponho uma lição de casa, estou propondo que o cliente experimente determinado comportamento como um processo de autoconhecimento, não como um desafio para cumprir metas ou superar inibições. O propósito é conhecer-se, e não se desafiar.

As lições devem ser comportamentos simples, pouco ansiogênicos, que possibilitem ao cliente experimentar temas que estão sendo discutidos em terapia. Há diversas formas de propor tais lições, mas isso não deve impedir o terapeuta de se aproveitar da própria criatividade e desenvolver novas junto com seus clientes. Alguns exemplos: buscar uma concentrada revivescência da sessão terapêutica, inclusive com anotações; solicitar que o cliente se observe na relação com as pessoas em sua vida profissional; pedir que o cliente visite um museu e verifique como se sente ante as obras de arte; a sugestão de que o cliente assista a determinado filme com determinado propósito; pedir-lhe que escreva suas fantasias durante a semana.

Obviamente, é imprescindível que o cliente aceite a execução das lições, bem como sua compreensão do sentido dessas atividades – elas não devem ser algo feito para o terapeuta, mas em benefício próprio e em prol de seu processo terapêutico. Assim, as lições de casa devem estar relacionadas com a "direção emergente da pessoa e sempre colocando-a em situações em que ela precise confrontar aspectos de si mesma que estejam bloqueando seu movimento ou sua consciência" (Polster e Polster, 2001, p. 281).

Outra característica importante da lição de casa é que ela precisa "ser feita sob medida para a área de conflito específica do paciente. É um comportamento que é para o futuro do paciente – alicerçado dentro da experiência da terapia, mas se projetando para uma área que necessita de novos comportamentos" (*ibidem*).

Vou dar três exemplos de lições que já propus e foram capazes de ampliar o poder da terapia em vivências de ansiedade. Tive um cliente que, a meu ver, deveria fazer duas sessões semanais de terapia, mas isso lhe era impraticável, pois vinha de uma cidade relativamente distante de São Paulo; combinamos, então, que ele faria uma sessão sozinho, em casa, anotando o que vivia, como em um diário. O objetivo era colocar para fora, no papel ou no computador, as emoções e as reflexões que vivia. Essa lição também servia para que ele tivesse um compromisso cuidadoso consigo, e foi bastante útil para ele e para a terapia, pois muitas vezes suas anotações serviam de tema nas sessões comigo.

A outro cliente, numa época em que trabalhávamos sua ansiedade ante possíveis erros, sua extrema preocupação quanto à possibilidade de não agir corretamente, solicitei que propositalmente chegasse atrasado a uma sessão a fim de experimentar de maneira protegida que fantasias surgiriam diante dessa falha no compromisso comigo. Ele fez isso, e a sessão na qual se atrasou foi uma das mais ricas que tivemos, pois explorou seus deverias e sua ansiedade.

Para um cliente de estilo bastante introjetor, pedi que experimentasse, ao manter uma relação comercial, não tentar ser muito gentil com quem o servisse, logicamente sem ser mal-educado. Esse cliente ficou encantado com a experiência e comentou na sessão: "Fui abastecer o carro em um posto de gasolina e não puxei conversa com o frentista, como é meu costume. Fiquei muito surpreso ao notar que ele me serviu bem e tranquilamente, como os outros frentistas com quem eu fazia de tudo para ser simpático e, assim, ser bem atendido. Acho que eu tenho mesmo mais direitos no mundo do que muitas vezes me permito!"

Além de ampliar a exploração do mundo existencial do cliente, essas lições de casa cumprem também a função de prolongar a relação terapêutica para além da situação terapêutica, fato que é especialmente útil quando o cliente atravessa períodos de grande insegurança ou ansiedade – ao fazer a lição, é como se ele estivesse com o terapeuta ao seu lado, o que, nessas situações, gera conforto e encorajamento. Também ajuda manter com o cliente em ansiedade patológica algo que o ligue ao terapeuta: um cartão de visita do profissional, o número de telefone para o qual pode ligar sempre que precisar, um texto ou uma obra de arte recomendados etc.

Outro *como* muito importante no manejo das vivências de ansiedade é a confirmação – inclusive de potenciais. A confirmação é o passo seguinte à aceitação do cliente e se caracteriza pela confiança genuína nos potenciais deste, por se perceber nele, como diz Buber em diálogo com Rogers (2008), "a pessoa criada para ser". A relação dialógica pressupõe uma atitude de genuíno interesse na pessoa com que estamos interagindo verdadeiramente como pessoa; pressupõe a valorização clara de sua alteridade. Confirmar é também reconhecer os valores do cliente, sem julgamento. A confirmação, como instrumento terapêutico, deve ser clara, amorosa, verdadeira e o mais explicitada possível, sempre em uma linguagem direta e compreensível para o cliente.

Um dos pontos mais importantes no cuidado da confirmação se dá por intermédio do contato corporal. Não basta confirmar só no discurso e no implícito. Aqueles que vivem situações de ansiedade precisam de uma confirmação mais explicitada, mais corporal, que se manifesta na possibilidade do toque, sobretudo na possibilidade do abraço. Nada confirma mais que a acolhida do abraço, o contato mais pleno de dois corpos abertos à amorosidade não sexualizada.

Esse tema do contato corporal entre terapeuta e cliente é tão relevante que valeria um capítulo à parte, o que não me é possível agora. Muitos colegas já escreveram sobre isso, o que me permite não me dedicar tanto à temática nesta obra. Mas não quero me furtar a contar três exemplos. Um primeiro é de uma terapia minha, na qual houve um momento em que vivi o desamparo da solidão como nunca tinha conhecido antes. Meu

DIALOGAR COM A ANSIEDADE

terapeuta à época não tinha o que me dizer, tão intensa era minha vivência. Ele me abraçou. Com a cabeça em seu ombro, chorei como não me lembro de ter feito antes, a ponto de não saber dizer hoje por quanto tempo fiquei ali, a lacrimejar, a soluçar, a me entregar àquela reparação não verbal da minha história. O segundo exemplo foi de um momento em que, ao sair de um grupo de estudos do qual participava, descobri que meu carro havia sido furtado. Ansioso, voltei à clínica do colega que oferecia o curso e fui ligar para a polícia (na época não havia celular). O colega passou, me percebeu aflito ao telefone e perguntou o que havia acontecido. Quando lhe contei o ocorrido, ele colocou com cuidado e amor a mão em minha nuca e não disse nada. Esse toque, uma confirmação masculina, ampliou meu autossuporte para lidar com a frustração ante o furto. O terceiro é de um cliente meu, bastante ansioso, que, sempre que chega para a sessão, ao me cumprimentar, me abraça inteiramente entregue ao contato corporal, que é acolhido e correspondido por mim. Não tenho dúvida de que esse gesto é altamente terapêutico para ele.

Devemos lembrar que o contato corporal é confirmador em determinadas situações, pois, em uma cultura que tem uma série de restrições a esse tipo de toque, o terapeuta precisa de sensibilidade e senso de oportunidade para discriminar quando esse contato é terapêutico e quando pode ser iatrogênico. Há pessoas que sexualizam demais o contato corporal, sendo reforçadas pela cultura ocidental nesse aspecto, o que exige do terapeuta um cuidado muito sensível a respeito de como o seu cliente vai compreender cada toque.

Outro ponto de manejo relevante nas questões ligadas à ansiedade diz respeito ao terapeuta: é preciso cuidar da própria ansiedade. Provavelmente não há profissão mais solitária que a de psicoterapeuta, o que é ansiogênico. Além disso, trata-se de um trabalho sem certezas, permeado pela fé (confiança), do qual nunca se poderá provar a utilidade, por mais que se façam pesquisas e pesquisas; afinal, jamais poderemos afirmar com certeza que as mudanças conquistadas pelo cliente se deveram mesmo, ou ao menos em parte significativa, ao processo terapêutico. Quem garantiria que essas mudanças não ocorreriam sem a terapia? Então, o que nos resta é confiar em que aquele trabalho foi facilitador das mudanças alcançadas no sentido da retomada da autoatualização.

No processo de cuidar da própria ansiedade, é preciso também evitar o uso excessivo das técnicas para reduzir a ansiedade inerente ao ofício. As técnicas só fazem sentido quando a serviço do cliente, nunca para diminuir a ansiedade do terapeuta ou para provar que ele tem técnicas e, por isso, é efetivo e competente. A própria terapia e a supervisão como formação permanente são indispensáveis.

Uma ansiedade comum entre os terapeutas, sobretudo aqueles em início de carreira, diz respeito a fins inesperados da terapia, casos em que o cliente abandona o processo sem que o terapeuta consiga compreender a motivação desse comportamento. Penso que essas situações pedem ao terapeuta ao menos quatro cuidados especiais. Primeiro, lembrar que nem o terapeuta nem o cliente são culpados pela interrupção precoce do trabalho. A terapia é uma coconstrução inclusive nesses casos, por mais que o abandono seja só do cliente. Também o terapeuta contribui para esse fim entendido como prematuro, o que não quer dizer que ele tenha culpa, pois é a relação que se esgota nesses casos. Esse esgotamento costuma ter dois sentidos: ela já não é mais útil para o cliente e por isso pode ser interrompida; ou ela já cumpriu com tudo de que o cliente precisava até o momento, o que não quer dizer que ele não possa voltar a necessitar da terapia mais adiante.

O segundo cuidado é muito importante: o terapeuta precisa se observar para não julgar seu cliente – talvez o pior pecado de um terapeuta! Depreciá-lo porque interrompeu um trabalho que estava importante para o terapeuta é como afirmar que tudo que o terapeuta viveu ou fez antes era encenação. E, se esse era o caso, fez muito bem o cliente em procurar outro rumo! Correlato a isso, o terapeuta não deve se julgar também. E aí vem o terceiro cuidado nesses casos: buscar compreender o que pode ter acontecido para o fim precoce da terapia. O que terá acontecido *entre* terapeuta e cliente? O verbo aqui é compreender, é buscar conhecer sem julgar. Conhecer para aprender e, assim, se abrir para cometer erros diferentes no futuro, não os que possivelmente tenham ocorrido naquele caso. Conhecer para favorecer o trabalho com outros clientes. Conhecer compreensivamente para aceitar os próprios limites nas relações humanas e para rever seus pressupostos teóricos.

Por fim, o cuidado mais difícil: compreender que não podemos ter desejos para nossos clientes. Como bem destacou Maria Constança Bowen (*apud* Santos, 1987, p. 58-60), somos guias xerpas, não guias turísticos com roteiros predeterminados. Não temos onde levar nossos clientes, embora possamos acompanhá-los com responsabilidade e profissionalismo em suas explorações de si e de seu mundo baseadas na dialética socrática. Esses cuidados melhoram o profissional e melhoram a pessoa terapeuta, sobretudo porque facilitam compreender que ao longo da vida profissional alguns clientes nos abandonarão e isso precisa ser aceito – embora com os cuidados que apontei. E essa aceitação tem de ser verdadeira, não conformismo.

Outro aspecto no manejo das vivências de ansiedade tem relação com os casos nos quais há o uso de medicamentos e correlatos, quando é preciso estar atento para seu uso crítico: nem radicalmente contra, nem radicalmente a favor, e tomando cuidado com as generalizações. É importante não recriminar o cliente pelo uso possivelmente prejudicial que faz da medicação, mas ajudá-lo a assumir uma postura crítica diante dela, como já comentei. É parte desse manejo facilitar a percepção das situações em que a medicação é usada como forma de não experimentar a própria força existencial, reforçando a ansiedade patológica. Reafirmo que é fundamental que os psicofármacos sejam receitados por psiquiatra, por mais que outros especialistas tenham autorização legal para os receitar.

Ao lado dos medicamentos, em casos muito graves, o acompanhamento terapêutico (AT) pode ser recomendado, sempre tendo em vista um trabalho multiprofissional. É relevante notar que o AT não é babá nem cuidador, mas alguém que tem treinamento adequado para a função. O AT, assim como o terapeuta, não é nem se tornará amigo do cliente: está prestando um serviço temporário a ele, ainda que de forma amorosa.

A respiração é uma das melhores maneiras de lidar com as crises ansiogênicas. Há dois exercícios respiratórios que uso bastante com meus clientes, especialmente por sua simplicidade e facilidade de execução. O primeiro, para ser feito no dia a dia, é perceber a própria respiração. Só perceber, não fazer nada para alterá-la, só se dar conta de como ela está por alguns segundos, pelo menos cinco vezes por dia. Os efeitos em longo prazo desse exercício tendem a ser muito bons. O outro, recomendado por Perls (2002), e mais útil nas crises, é cuidar de expirar o máximo possível, pois a inspiração é inevitável e obrigatoriamente virá quando a expiração se completar. Algumas poucas vezes que se pratique essa expiração forçada já ajudam a lidar com a crise ansiosa. Além desses, há inúmeros outros; cada terapeuta certamente tem seus preferidos. No dia a dia, sem crises, é importante que se adotem exercícios que possibilitem a percepção da respiração, muito mais do que aqueles que busquem controlá-la. Um exercício singelo e eficaz é treinar a apuração do olfato como forma de contato com o mundo.

Um manejo bem típico da abordagem gestáltica é aquele que defende a presentificação como atitude o mais cotidiana possível, seja em terapia, seja no dia a dia. Mesmo sabendo que a presentificação é estritamente impossível, a partir da inevitável consciência da finitude e da inevitabilidade da confrontação com o destino (não somos simples espectadores ante nosso destino, mas atuantes em nossas experiências), a atitude mais saudável para a pessoa humana é ampliar sua consciência e sua vivência do aqui e agora, pois é apenas nesse tempo que podemos existir, cuidar de nós (e de nossas comunidades e do ambiente) e fazer nossas coisas.

Como já vimos, é no aqui e agora que temos consciência dos limites e das possibilidades, dos nossos recursos já disponíveis e daqueles que ainda precisamos desenvolver, bem como das nossas possibilidades de bem utilizar os recursos internos e os recursos ambientais disponíveis. Presentificação, é bom lembrar, não significa imediatismo e seu inevitável vazio estéril, antes pelo contrário. Presentificar implica: contato com os limites do aqui e agora; contato com as potencialidades do aqui e agora; renovado contato com o já vivido aqui e agora; presença cuidadosa aqui e agora, percepção do ritmo de vivência entre os três tempos. A presentificação nos situa no lugar da ação possível, o lugar da coragem, ao mesmo tempo que nos coloca mais claramente diante de nossos limites a cada momento – o que amplia a qualidade de nossas escolhas e o senso de responsabilidade delas decorrente.

Outra conduta importante no manejo de vivências de ansiedade é a informação. Em muitas situações a ansiedade patológica se alimenta da falta de informações do cliente sobre aspectos fundamentais de sua vida, de modo que cabe ao terapeuta, nesses casos, oferecê-las e ajudar o cliente a transformá-las em conhecimento. Tais informações devem ser fornecidas pelo meio mais adequado para aquele cliente e precisam estar sempre baseadas em conhecimentos generalizáveis sobre o humano e sobre o mundo – a terapia não é lugar para o cliente aprender sobre si, mas para descobrir sobre si. Refiro-me a informações a respeito do diagnóstico ou de psicopatologia; fatos que os especialistas sabemos mas não são de conhecimento geral, como o de que luto não é depressão ou de que muitas vezes são necessários muitos meses até que ocorra de fato um adeus – seja um adeus para uma relação, para um objeto afetivamente importante, para uma condição existencial. Essas informações muitas vezes ajudam no processo de humanização, dão notícia para o cliente de que ele compartilha com os outros humanos determinadas vivências, o que pode ser extremamente aliviador.

Para finalizar este capítulo, quero levantar algumas questões que têm relação com a finalidade do manejo das vivências de ansiedade.

O diálogo com a ansiedade e o contato com a coragem

Todo esse manejo tem uma finalidade bem específica: facilitar o diálogo com a ansiedade, ampliar a possibilidade de que o

DIALOGAR COM A ANSIEDADE

cliente compreenda sua ansiedade como defesa, como promotora de cuidados, e, assim, dê mais atenção a seus apelos, lide com a ansiedade antes que ela tenha de ser mais enfática. A forma de ouvir o relato, a atenção à maneira como a ansiedade é vivida e relatada, as questões colocadas, a postura e a conduta de maneira mais ampla são os instrumentos do terapeuta para facilitar ao seu cliente abrir-se para conhecer sua ansiedade.

A esperança é que essa abertura para se conhecer como ser dotado de ansiedade amplie as potencialidades do cliente, pois quando se aceita a ansiedade ela se torna melhor conselheira. Facilitar às pessoas que se aceitem como seres dotados de ansiedade talvez seja uma das tarefas mais difíceis da terapia humanista, pois a tendência da nossa cultura hoje, sobretudo na área da assim chamada saúde mental, é combater a ansiedade. Estamos longe, muito longe de compreendermos a ansiedade, que dirá de a aceitarmos como fonte de cuidados. Hoje pela manhã, li no jornal uma matéria sobre os ataques de pânico e a síndrome do pânico. Na sua parte mais substancial, profissionais da área afirmavam com todas as letras que ainda não se conhecem as causas das crises de pânico, mas que isso ainda seria descoberto. Nenhum questionamento sobre o sentido ou a finalidade de tais crises, nenhuma ligação entre o ataque e a situação existencial daquele que padece o problema – apenas a descrição da patologia e a esperança de que se descubra um dia uma medicação mais eficaz para combatê-la. Entristeço-me ao ver que este é o senso comum de nossa cultura hoje: a tendência a olhar para a parte como se ela não tivesse relação com o todo, somada à tendência de reduzir o indivíduo ao seu corpo.

Fico me perguntando por que é tão difícil para nós ver a ansiedade como defesa e ver a ansiedade patológica como uma exacerbação dessa defesa porque não foi bem compreendida, nem bem ouvida, nem bem acolhida quando cumpria seu papel de fomentar cuidados. Tenho cá minhas hipóteses para esse desperdício, algumas das quais já anunciei ao longo deste livro, mas o tema é complexo demais para ser esgotado em uma dúzia de hipóteses. Há um mistério na lida humana com a ansiedade que não é apenas de nossa época, mas que tem raízes históricas, as quais mereciam ser mais estudadas.

Na terapia humanista, não podemos ficar nesse senso comum, sob o risco de incoerência. Ao buscarmos nos orientar pela visão de ser humano que caracteriza essa área da psicologia, é inevitável ampliar o diálogo com a ansiedade sem deixar de atender à necessidade de tentar controlá-la, se isso for necessário temporariamente. Se orientados pela psicologia humanista, não podemos cair na tentação de imaginar que talvez um dia seja possível ao ser humano ter somente vivências agradáveis, pois se isso acontecesse perderíamos nossa condição humana.

No que diz respeito às ansiedades, o trabalho psicoterapêutico não visa ajudar a pessoa a não sofrer ou a sofrer menos, mas a sofrer melhor, ou seja, ajudar a compreender o sentido do sofrimento trazido pela ansiedade ou por outros sofrimentos ligados a ela. Isso implica ajudar nossos clientes a encontrar uma forma de contato com suas ansiedades de maneira que elas possam, na maior parte das vezes, ser vividas como veredas que conduzem ao cuidado consigo, com o outro, com o ambiente, ainda que tais veredas não tenham uma pavimentação lisa e suave. O cuidado, lembremo-nos, é a base da sensação de bem-estar existencial.

A chave do processo terapêutico em relação às vivências de ansiedade é, no meu modo de ver, a abertura para o incremento da coragem, pois esse é o pedido mais contundente da ansiedade – qual seja, o de que a pessoa se abra para viver corajosamente, a única forma de viver plenamente. Como já mostrei antes, há aqui um paradoxo delicado: a ansiedade, mais primitiva que o medo, busca tornar-se medo, pois o medo gera ação. Para tanto, o medo tem dois caminhos: ou provoca a coragem ou o desespero. A coragem vai possibilitar a avaliação do risco e a ação de enfrentamento ou de fuga desse risco, pois a fuga também pode ser um ato corajoso. O desespero tenderá a provocar atos temerários, de enfrentamento ou de fuga do risco sem avaliá-lo, ocasionando prováveis prejuízos existenciais.

De fato, é notável como nossos principais autores de referência salientam a coragem como qualidade essencial à vida. Perls, Hefferline e Goodman (1997, p. 96), comentando sobre atividades em um processo psicoterapêutico, afirmam que se podem criar situações de emergência controladas (seguras) para reformar a figura. Nesse trabalho, por estar protegido, o cliente entra em melhor contato com sua coragem, o que poderá fazer que a amplie também no cotidiano. Perls, Hefferline e Goodman pontuam que, na situação experimental, o cliente, ao reconhecer a emergência, "não foge ou se paralisa, mas mantém sua coragem, torna-se cauteloso e realiza ativamente o comportamento que se torna dominante". Por facilitarem o conhecimento da própria coragem e o apoio nela, esses experimentos na situação terapêutica permitiriam ao cliente ter sua coragem à disposição no dia a dia.

Para Goldstein (2000, p. 240, tradução minha), é a coragem genuína que possibilita o enfrentamento da ansiedade, pois, "coragem, em suma, nada mais é que a resposta afirmativa aos embates da existência, que precisam ser suportados para a atualização da própria natureza".

Para May (1978, p. 187), "coragem é a aptidão para enfrentar a ansiedade que surge na conquista da liberdade". O autor (1982, p. 17) realça também que há um paradoxo na coragem:

> É a contradição aparente de que devemos nos comprometer por completo, e ao mesmo tempo ter consciência de que podemos estar errados. Essa dialética entre convicção e dúvida é característica dos mais elevados tipos de coragem, e nega a definição simplista que identifica a coragem com mero crescimento.

Tillich (1967, p. 49) aponta que a ansiedade inclina o ser humano para a coragem "porque a outra alternativa é o desespero. A coragem resiste ao desespero tomando a ansiedade dentro de si". Mas o que é a coragem para esse pensador prussiano? Comentando sobre o título de seu livro – *A coragem de ser* –, ele afirma (*ibidem*, p. 2):

> Coragem como um ato humano, como matéria de avaliação, é um conceito ético. Coragem como a autoafirmação do ser de alguém é um conceito ontológico. A coragem de ser é o ato ético no qual o homem afirma seu próprio ser a despeito daqueles elementos de sua existência que entram em conflito com sua autoafirmação essencial.

A coragem não é algo que se encontre nem dentro nem fora da pessoa, mas na fronteira de contato com o ambiente. Porque coragem mesmo é perceber e aceitar a imensa solidão a que estamos destinados. Em nosso processo de abertura e fechamento de *Gestalten*, a vida-morte-vida cotidiana a que me referi antes, vivemos uma sequência infinita de nascimentos e mortes que

DIALOGAR COM A ANSIEDADE

nos encaminham para a solidão. Deixamos o ventre materno, deixamos o colo materno, deixamos a família, atiramo-nos ao mundo. Nesse processo, desenvolvemos nossa espiritualidade no sentido de sermos mais capazes de amor, de tolerância, de compromisso responsável, tudo isso a partir do enfrentamento corajoso da dor da separação – o que resulta na necessária consciência da inescapável solidão humana. Esta nos remete à inevitável necessidade do outro, a qual, por sua vez, nos remete à humanizadora ansiedade existencial.

Referências

AGOSTINHO. *Confissões*. Petrópolis: Vozes, 2015.

ALEXANDER, F.; FRENCH, T. *Terapéutica psicoanalítica*. Buenos Aires: Paidós, 1965.

ANGERAMI, V. A. (org.) *Psicoterapia e brasilidade*. São Paulo: Cortez, 2011.

AUGRAS, M. *O ser da compreensão: fenomenologia da situação de psicodiagnóstico*. Petrópolis: Vozes, 1981.

BAUMAN, Z. *Modernidade líquida*. Rio de Janeiro: Zahar, 2001.

_____. *Amor líquido: sobre a fragilidade dos laços humanos*. Rio de Janeiro: Zahar, 2004.

_____. *44 cartas do mundo líquido moderno*. Rio de Janeiro: Zahar, 2011.

BEISSER, A. "A teoria paradoxal da mudança". In: FAGAN, J.; SHEPHERD, I. L. *Gestalt-terapia: teoria, técnicas e aplicações*. Rio de Janeiro: Zahar, 1977.

BOAINAIN JR., E. "O estudo do potencial humano na psicologia contemporânea: a corrente humanista e a corrente transpessoal". *Potenciais Humanos*, v. 1, n. 2, 1994, p. 10-49.

BOWEN, M. C. "Psicoterapia: o processo, o terapeuta, a aprendizagem". In: SANTOS, A. M.; ROGERS, C. R.; BOWEN, M. C. *Quando fala o coração: a essência da psicoterapia centrada na pessoa*. Porto Alegre: Artes Médicas, 1987.

BUBER, M. *Eu e Tu*. São Paulo: Moraes, 1974.

BYINGTON, C. *Dimensões simbólicas da personalidade*. São Paulo: Ática, 1988.

CASSIRER, E. *Ensaio sobre o homem*. São Paulo: Martins Fontes, 1994.

CIORNAI, S. "Arteterapia gestáltica: um caminho para a expansão da consciência". *Revista de Gestalt*, n. 3, 1994.

ESTÉS, C. P. *Mulheres que correm com os lobos*. Rio de Janeiro: Rocco, 1995.

FAGAN, J.; SHEPHERD, I. L. *Gestalt-terapia: teoria, técnicas e aplicações*. Rio de Janeiro: Zahar, 1977

FRANKL, V. E.; LAPIDE, P. *A busca de Deus e questionamentos sobre o sentido*. Petrópolis: Vozes, 2013.

FRAZÃO, L. "O pensamento diagnóstico e Gestalt-terapia". *Revista de Gestalt*, v. 1, n. 1, 1991, p. 41-6.

FRICK, W. B. *Psicologia humanista: entrevistas com Maslow, Murphy e Rogers*. Rio de Janeiro: Zahar, 1975.

FROMM, E. *Sobre la desobediencia*. Buenos Aires: Paidós, 2013.

GINGER, S.; GINGER, A. *Gestalt: uma terapia do contato*. São Paulo: Summus, 1995.

GOLDSTEIN, K. *The organism*. Nova York: Zone Books, 2000.

HELLER, A. *O cotidiano e a história*. Rio de Janeiro: Paz e Terra, 1985.

HYCNER, R; JACOBS, L. *Relação e cura em Gestalt-terapia*. São Paulo: Summus, 1997.

HOLANDA, A. "Saúde e doença em Gestalt-terapia: aspectos filosóficos". *Estudos em Psicologia*, v. 15, n. 2, 1998, p. 29-44.

_____. "Gênese e história da psicopatologia fenomenológica". In: ANGERAMI, V. A. (org.). *Psicoterapia e brasilidade*. São Paulo: Cortez, 2011.

HOUAISS, A.; VILLAR, M. S. *Dicionário Houaiss da língua portuguesa*. [online]. Disponível em: <http://www.houaiss.uol.com.br>. Acesso em: 25 fev. 2019.

LOWEN, A. *A espiritualidade do corpo: bioenergética para a beleza e a harmonia*. São Paulo: Summus, 2018.

MAY, R. *Psicologia e dilema humano*. Rio de Janeiro: Zahar, 1977.

_____. *O homem à procura de si mesmo*. Petrópolis: Vozes, 1978.

_____. *A coragem de criar*. Rio de Janeiro: Nova Fronteira, 1982.

_____. *Liberdade e destino*. Porto Alegre: Rocco, 1987.

_____. *A descoberta do ser*. Rio de Janeiro: Rocco, 1988.

_____. *A procura do mito*. Barueri: Manole, 1992.

_____. [1977] *The meaning of anxiety*. Nova York: W. W. Norton, 2015.

MORIN, E. *A via para o futuro da humanidade*. Rio de Janeiro: Bertrand Brasil, 2013.

NEUMANN, E. *A criança: estrutura e dinâmica da personalidade em desenvolvimento desde o início de sua formação*. São Paulo: Cultrix, 1995.

PAIVA, J. G. de. *A religião dos cientistas: uma leitura psicológica*. São Paulo: Loyola, 2000.

PERLS, F. *A abordagem gestáltica e Testemunha ocular da terapia*. Rio de Janeiro: Zahar, 1977a.

_____. *Gestalt-terapia explicada*. São Paulo: Summus, 1977b.

_____. *Ego, fome e agressão: uma revisão da teoria e do método de Freud*. São Paulo: Summus, 2002.

PERLS, F.; HEFFERLINE, R.; GOODMAN, P. *Gestalt-terapia*. São Paulo: Summus, 1997.

PERVIN, L. A. *Personalidade: teoria, avaliação e pesquisa*. São Paulo: EPU, 1978.

PINTO, E. B. *Elementos para uma compreensão diagnóstica em psicoterapia*. São Paulo: Summus, 2015.

POLSTER, E.; POLSTER, M. *Gestalt-terapia integrada*. São Paulo: Summus, 2001.

RIBEIRO, J. P. *O ciclo do contato: temas básicos na abordagem gestáltica*. São Paulo: Summus, 2007.

ROGERS, C. R. *Sobre o poder pessoal*. São Paulo: Martins Fontes, 1986.

ROGERS, C. R.; BUBER, M. "Diálogo entre Carl Rogers e Martin Buber". *Revista da Abordagem Gestáltica*, v. XIV, n. 2, jul.-dez. 2008, p. 233-43.

ROGERS, C. R.; STEVENS, B. *De pessoa para pessoa: o problema de ser humano*. São Paulo: Pioneira, 1977.

SANTOS, A. M.; ROGERS, C. R.; BOWEN, M. C. *Quando fala o coração: a essência da psicoterapia centrada na pessoa*. Porto Alegre: Artes Médicas, 1987.

STEVENS, B. *Não apresse o rio (ele corre sozinho)*. São Paulo: Summus, 1978.

STEVENS, J. O. *Tornar-se presente: experimentos de crescimento em Gestalt-terapia*. São Paulo: Summus, 1988.

TATOSSIAN, A. *A fenomenologia das psicoses*. São Paulo: Escuta, 2006.

TELLEGEN, T. A. *Gestalt e grupos: uma perspectiva sistêmica*. São Paulo: Summus, 1984.

TILLICH, P. *A coragem de ser*. Rio de Janeiro: Paz e Terra, 1967.

WINNICOTT, D. W. *O brincar e a realidade*. Rio de Janeiro: Imago, 1971.

YANO, L. P. "Gestalt-terapia e modelo biomédico: aproximações na compreensão das psicopatologias". *Revista Psicologias*, v. 1., abr. 2015, p. 1-10.

YONTEF, G. M. *Processo, diálogo e awareness: ensaios em Gestalt-terapia*. São Paulo: Summus, 1998.

ZINKER, J. *Processo criativo em Gestalt-terapia*. São Paulo: Summus, 2007.